MENTIROSOS

Também de E. Lockhart:

Fraude legítima
O histórico infame de Frankie Landau-Banks

E. Lockhart

MENTIROSOS

Tradução
FLÁVIA SOUTO MAIOR

18ª reimpressão

O selo jovem da Companhia das Letras

Copyright © 2014 by E. Lockhart

O selo Seguinte pertence à Editora Schwarcz S.A.

Grafia atualizada segundo o Acordo Ortográfico da Língua Portuguesa de 1990, que entrou em vigor no Brasil em 2009.

TÍTULO ORIGINAL We Were Liars
CAPA Cassio Leitão
IMAGEM DE CAPA Bloom image/ Getty Images
ILUSTRAÇÕES © 2014 by Abigail Daker
PREPARAÇÃO Lígia Azevedo
REVISÃO Larissa Lino Barbosa e Mariana Cruz

Dados Internacionais de Catalogação na Publicação (CIP)
(Câmara Brasileira do Livro, SP, Brasil)

Lockhart, E.
    Mentirosos / E. Lockhart ; tradução Flávia Souto Maior. —
1ª ed. — São Paulo : Seguinte, 2014.

    Título original: We Were Liars.
    ISBN 978-85-65765-48-0

    1. Ficção — Literatura infantojuvenil I. Título.

14-08656   CDD-028.5

Índices para catálogo sistemático:
1. Ficção : Literatura infantojuvenil 028.5
1. Ficção : Literatura juvenil 028.5

[2021]
Todos os direitos desta edição reservados à
EDITORA SCHWARCZ S.A.
Rua Bandeira Paulista, 702, cj. 32
04532-002 — São Paulo — SP
Telefone: (11) 3707-3500
www.seguinte.com.br
contato@seguinte.com.br

/editoraseguinte
@editoraseguinte
Editora Seguinte
editoraseguinteoficial

Para Daniel

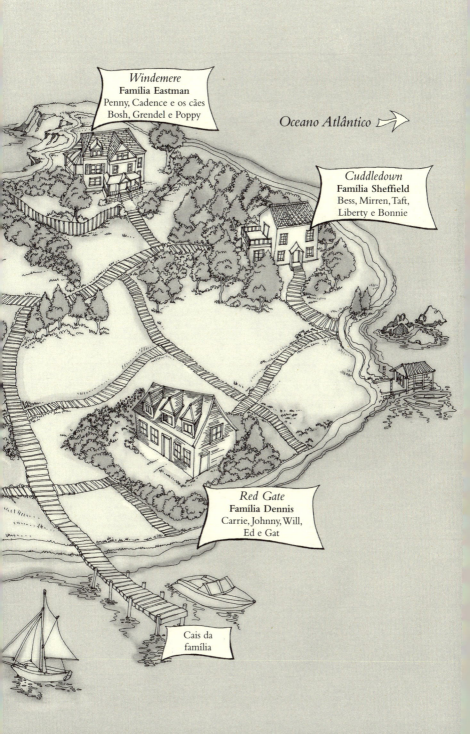

Família Sinclair

Harris Sinclair e Tipper Taft

Clairmont
e Boston

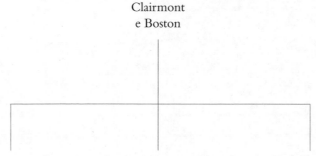

Carrie • • • *William Dennis*   *Bess* • • • *Brody Sheffield*   *Penny* • • • *Sam Eastman*

Red Gate
e Nova York

Cuddledown
e Cambridge

Windemere
e Burlington

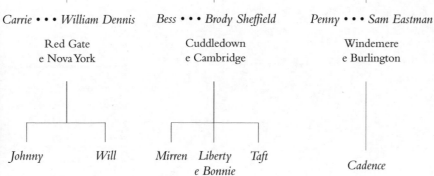

Johnny   *Will*   *Mirren*   *Liberty*   *Taft*   *Cadence*
                           e Bonnie

PARTE UM
Bem-vindo

1

BEM-VINDO À bela família Sinclair.
Ninguém é criminoso.
Ninguém é viciado.
Ninguém é um fracasso.
Os Sinclair são atléticos, altos e lindos. Somos democratas tradicionais e ricos. Nosso sorriso é largo, temos queixo quadrado e sacamos forte no tênis.
Não importa se o divórcio retalha os músculos do nosso coração a ponto de mal conseguir bater sem esforço. Não importa se o dinheiro do fundo de investimento está acabando, se as faturas do cartão de crédito não são pagas e se acumulam sobre a bancada da cozinha. Não importa se tem um monte de frascos de comprimidos sobre a mesa de cabeceira.
Não importa se um de nós está desesperadamente, desesperadamente apaixonado.
Tão
apaixonado
que medidas desesperadas
precisam ser tomadas.
Somos Sinclair.
Ninguém é carente.
Ninguém erra.

Vivemos, pelo menos durante o verão, em uma ilha particular perto da costa de Massachusetts.

Talvez isso seja tudo o que você precisa saber a nosso respeito.

2

MEU NOME COMPLETO é Cadence Sinclair Eastman.

Moro em Burlington, Vermont, com minha mãe e três cães.

Tenho quase dezoito anos.

Tenho um cartão de biblioteca bem gasto e pouco mais que isso, embora more em uma casa enorme cheia de objetos caros e inúteis.

Eu era loira, mas meu cabelo agora está preto.

Eu era forte, mas agora sou fraca.

Eu era bonita, mas agora pareço doente.

É verdade que aguento terríveis enxaquecas desde o acidente.

É verdade que não aguento idiotas.

Gosto de distorcer significados. Percebe? *Aguentar* enxaquecas. Não *aguentar* idiotas. A palavra significa quase a mesma coisa nas duas frases, só que não.

Aguentar.

Você pode dizer que é o mesmo que "suportar", mas não estaria cem por cento certo.

MINHA HISTÓRIA COMEÇA antes do acidente. Em junho, no verão em que eu tinha quinze anos, meu pai foi embora com uma mulher de quem gostava mais do que da gente.

Ele era um professor universitário de história militar relativamente bem-sucedido. Eu o adorava. Ele usava paletó de tweed. Era magro. Tomava chá com leite. Gostava de jogos de tabuleiro e me deixava ganhar, gostava de barcos e me ensinou a andar de caiaque, gostava de bicicletas, livros e museus.

Nunca gostou de cachorros, e um sinal do quanto amava minha mãe era deixar nossos golden retrievers dormirem no sofá e caminhar quase cinco quilômetros com eles todas as manhãs. Também nunca gostou dos meus avós, e um sinal do quanto amava minha mãe e eu era passar todos os verões em Windemere, na ilha Beechwood, escrevendo artigos sobre guerras disputadas há tempos e encarando os parentes com um sorriso no rosto em todas as refeições.

Naquele mês de junho, no verão dos meus quinze anos, meu pai anunciou que estava indo embora e partiu dois dias depois. Ele disse à minha mãe que não era um Sinclair e não podia tentar ser um, não mais. Ele não podia sorrir, não podia mentir, não podia fazer parte daquela linda família que morava naquelas lindas casas.

Não podia. Não podia. Não queria.

Ele já tinha contratado o caminhão de mudança. E alugado uma casa. Colocou a última mala no banco de trás da Mercedes (deixou o Saab para minha mãe) e ligou o motor.

Então sacou uma pistola e atirou no meu peito. Eu estava em pé no gramado e caí. O buraco da bala se alargou e meu

coração saiu rolando da caixa torácica até o canteiro. O sangue jorrava continuamente da ferida aberta,
 depois de meus olhos,
 meus ouvidos,
 minha boca.
 Tinha gosto de sal e fracasso. A desonra vermelho-vivo do desprezo encharcava o gramado diante da nossa casa, os tijolos da entrada, os degraus da varanda. Meu coração se debatia entre as peônias como uma truta.
 Minha mãe me repreendeu. Disse para eu me recompor.
 Aja como uma pessoa normal, ela disse. Agora mesmo.
 Porque você é. Porque você pode ser.
 Não faça escândalo, ela disse. Respire e endireite-se.
 Fiz o que ela pediu.
 Ela era tudo o que me restava.
 Minha mãe e eu erguemos a cabeça. Meu pai dirigia colina abaixo. Entramos e destruímos os presentes que ele havia nos dado: joias, roupas, livros, tudo. Nos dias seguintes, nos livramos do sofá e das poltronas que eles tinham comprado juntos. Jogamos fora a porcelana que fora presente de casamento, a prataria, as fotos.
 Compramos móveis novos. Contratamos um decorador. Encomendamos prataria da Tiffany. Passamos um dia inteiro visitando galerias de arte e compramos quadros para cobrir os espaços vazios das paredes.
 Pedimos para os advogados do meu avô protegerem os bens da minha mãe.
 Depois fizemos as malas e fomos para a ilha Beechwood.

3

PENNY, CARRIE E BESS são as filhas de Tipper e Harris Sinclair. Harris herdou seu dinheiro aos vinte e um anos, quando saiu de Harvard, e aumentou a fortuna fazendo negócios que nunca me dei o trabalho de entender. Ele herdou casas e terras. Tomou decisões inteligentes no mercado de ações. Casou-se com Tipper e a manteve na cozinha e no jardim. Exibia-a usando pérolas, em veleiros. Ela parecia gostar.

O único fracasso do meu avô foi nunca ter tido um filho homem, mas não importa. As filhas dos Sinclair eram bronzeadas e afortunadas. Altas, alegres e ricas, aquelas meninas eram como princesas de um conto de fadas. Eram conhecidas em Boston, Harvard Yard e Martha's Vineyard por seus cardigãs de caxemira e festas grandiosas. Foram feitas para virar história. Foram feitas para ser princesas e estudar nas melhores escolas, ter estátuas de marfim e casas majestosas.

Meu avô e Tipper amavam as meninas e não sabiam dizer qual delas amavam mais. Primeiro Carrie, depois Penny, depois Bess, depois Carrie de novo. Elas tiveram festas de casamento espalhafatosas com salmão e harpistas, netos loiros e cães divertidos de pelo amarelo. Ninguém podia ter mais orgulho de suas lindas garotas americanas do que Tipper e Harris tinham, naquela época.

Eles construíram três novas casas em sua escarpada ilha

particular e deram um nome a cada uma: Windemere para Penny, Red Gate para Carrie e Cuddledown para Bess.

Sou a neta mais velha dos Sinclair. Herdeira da ilha, da fortuna e das expectativas.

Bem, talvez.

4

EU, JOHNNY, MIRREN E GAT. Gat, Mirren, Johnny e eu.

A família se refere a nós quatro como os Mentirosos, e é provável que mereçamos. Temos quase a mesma idade, e todos fazemos aniversário no outono. Quase todos os anos causamos problemas na ilha.

Gat começou a ir para Beechwood quando tínhamos oito anos. No verão dos oito, como dizíamos.

Antes disso, Mirren, Johnny e eu não éramos Mentirosos. Éramos apenas primos, e Johnny era um chato porque não gostava de brincar com meninas.

Johnny é estalo, iniciativa e sarcasmo. Na época, pendurava nossas Barbies pelo pescoço ou atirava na gente com armas de Lego.

Mirren é açúcar, curiosidade e chuva. Na época, passava longas tardes com Taft e as gêmeas, mergulhando na praia maior enquanto eu desenhava em papel quadriculado e lia na rede da varanda da Clairmont.

Então Gat veio passar os verões conosco.

O marido da tia Carrie a deixou quando ela estava grávida

do irmão de Johnny, Will. Não sei o que aconteceu. A família nunca fala disso. No verão dos oito, Will era bebê e Carrie já estava com Ed.

Esse Ed era um comerciante de arte e adorava crianças. Isso era tudo o que sabíamos sobre ele quando Carrie anunciou que o levaria para Beechwood com Johnny e o bebê.

Eles foram os últimos a chegar naquele verão e quase todos estávamos no cais esperando o barco se aproximar. Meu avô me levantou para que eu pudesse acenar para Johnny, que usava um colete salva-vidas laranja e gritava na proa.

Vovó Tipper estava ao nosso lado. Ela desviou os olhos do barco por um instante, colocou a mão no bolso e tirou uma bala de menta. Desembalou-a e colocou na minha boca.

Quando voltou a olhar para o barco, o rosto de vovó mudou. Apertei os olhos para enxergar o que ela via.

Carrie desceu com Will no colo. Ele usava um colete salva-vidas amarelo para bebês e não dava para ver muito mais do que alguns fios de cabelo loiro quase branco por cima. Ficamos felizes quando o vimos. Aquele colete, que todos havíamos usado quando bebês. O cabelo. Como era maravilhoso que aquele menininho que ainda nem conhecíamos fosse, de maneira tão óbvia, um Sinclair.

Johnny saltou do barco e jogou o colete sobre o cais. A primeira coisa que fez foi correr até Mirren e chutá-la. Depois me chutou. Chutou as gêmeas. Foi até nossos avós e endireitou o corpo.

— É bom ver vocês, vovó e vovô. Estou ansioso por um verão feliz.

Tipper o abraçou.

— Sua mãe pediu para falar isso, não pediu?

— Pediu — respondeu Johnny. — E quero dizer que é um prazer ver a senhora de novo.

— Bom menino.

— Posso ir agora?

Tipper beijou seu rosto sardento.

—Vá.

Ed desceu depois de Johnny, parando para ajudar a tripulação a descarregar a bagagem do barco a motor. Ele era alto e magro. Sua pele era muito escura — tinha ascendência indiana, depois ficamos sabendo. Usava óculos de armação preta e roupas alinhadas e urbanas: um terno de linho e camisa listrada. A calça estava amassada da viagem.

Meu avô me colocou no chão.

A boca da vovó Tipper formou uma linha séria. Depois ela mostrou todos os dentes e deu um passo à frente.

—Você deve ser o Ed. Que surpresa agradável.

Ele apertou a mão dela.

— Carrie não avisou que eu vinha?

— É claro que avisou.

Ed olhou para nossa família extremamente branca. Virou-se para Carrie e perguntou:

— Onde está Gat?

Chamaram por ele, que saiu do barco tirando o colete salva-vidas, olhando para baixo para soltar as fivelas.

— Mãe, pai — disse Carrie —, trouxemos o sobrinho do Ed para brincar com Johnny. O nome dele é Gat Patil.

Meu avô estendeu o braço e deu um tapinha na cabeça de Gat.

— Olá, meu jovem.

— Olá.

— O pai dele faleceu este ano — explicou Carrie. — Ele e Johnny são melhores amigos. Vai ser de grande ajuda para a irmã de Ed se ficarmos com ele por algumas semanas. E, Gat, você vai poder fazer piquenique e nadar como conversamos. Está bem?

Mas Gat não respondeu. Estava olhando para mim.

Seu nariz era grande, a boca, meiga. Pele bem morena, cabelo preto e ondulado. Corpo carregado de energia. Parecia que alguém tinha dado corda nele. Como se procurasse alguma coisa. Era todo contemplação e entusiasmo. Ambição e café forte. Eu poderia ficar olhando Gat para sempre.

Nossos olhares se encontraram.

Eu me virei e saí correndo.

Gat foi atrás. Dava para ouvir seus pés me seguindo pelas passagens de madeira que cruzavam a ilha.

Continuei correndo. Ele continuou seguindo.

Johnny perseguia Gat. E Mirren perseguia Johnny.

Os adultos continuaram conversando no cais, cercando Ed com educação, babando sobre o bebê Will. Os pequenos faziam seja lá o que os pequenos fazem.

Nós quatro paramos de correr na praia pequena perto de Cuddledown. É uma pequena faixa de areia com pedras altas dos dois lados. Ninguém ia muito lá naquela época. A praia maior tinha areia mais fofa e menos algas.

Mirren tirou os sapatos e nós todos fizemos o mesmo. Jogamos pedras na água. Só existíamos.

Escrevi nossos nomes na areia.

Cadence, Mirren, Johnny e Gat.

Gat, Johnny, Mirren e Cadence.

Foi o nosso começo.

JOHNNY IMPLOROU para que Gat pudesse ficar mais tempo.

Ele conseguiu o que queria.

No ano seguinte, implorou para que ele viesse passar o verão inteiro.

Gat veio.

Johnny era o neto mais velho. Meus avós quase nunca diziam não para Johnny.

5

NO VERÃO DOS CATORZE, Gat e eu pegamos o barco a motor pequeno sozinhos. Foi logo depois do café da manhã. Bess obrigou Mirren a jogar tênis com as gêmeas e Taft. Johnny tinha começado a correr aquele ano e estava dando voltas na trilha da costa. Gat me encontrou na cozinha de Clairmont e perguntou se eu queria sair de barco.

— Na verdade, não.

Eu queria voltar para a cama com um livro.

— Por favor!

Gat quase nunca pedia por favor.

—Vá você.

— Não posso pegar o barco — ele disse. — Não parece certo.

— É claro que pode.

— Não sem um de vocês.

Ele estava sendo ridículo.

— Aonde você quer ir? — perguntei.

— Só quero sair da ilha. Às vezes não suporto ficar aqui.

Eu não conseguia imaginar, na época, o que ele não suportava na ilha, mas concordei. Saímos de barco pelo mar usando jaquetas corta vento e roupa de banho. Depois de um tempo, Gat desligou o motor. Ficamos comendo pistache e respirando o ar salgado. A luz do sol brilhava sobre a água.

—Vamos entrar — eu disse.

Gat pulou e eu fui atrás, mas a água estava tão mais fria do que perto da praia que tirou nosso fôlego. O sol se escondeu atrás de uma nuvem. Soltamos risadas de pânico e gritamos que entrar na água havia sido uma ideia muito idiota. O que tínhamos na cabeça? Havia tubarões longe da costa, todos sabiam disso.

Não fale nos tubarões, minha nossa! Nós nos apressamos e empurramos um ao outro, lutando para ser o primeiro a subir a escada atrás do barco.

Depois de um minuto, Gat se afastou e me deixou ir na frente.

— Não porque você é menina, mas porque sou uma boa pessoa — ele me disse.

— Obrigada. — Mostrei a língua.

— Mas quando um tubarão arrancar minhas pernas, promete que vai escrever um discurso sobre como eu era incrível?

— Combinado — eu disse. — Gatwick Matthew Patil foi uma refeição deliciosa para um tubarão.

Parecia histericamente divertido passar tanto frio. Não tínhamos toalhas. Juntamo-nos debaixo de um cobertor de lã que encontramos sob os assentos, os ombros despidos tocando um no outro. Pés frios, um em cima do outro.

— É só pra gente não ficar com hipotermia — disse Gat. — Não pense que te acho bonita ou algo assim.

— Sei que não acha.

— Você está puxando o cobertor.

— Desculpe.

Uma pausa.

— Eu te acho bonita, Cady. Não quis dizer o contrário. Na verdade, quando ficou tão bonita? É perturbador — Gat disse.

— Continuo igual.

— Você mudou durante o ano. Está atrapalhando minha estratégia.

— Você tem uma estratégia?

Ele fez que sim, solene.

— É a coisa mais ridícula que já ouvi. Qual é sua estratégia?

— Nada penetra minha armadura. Nunca notou?

Aquilo me fez rir.

— Não.

— Droga. Achei que estivesse funcionando.

Mudamos de assunto. Falamos sobre levar os pequenos para Edgartown assistir a um filme à tarde, sobre tubarões e se realmente comem pessoas, sobre o jogo *Plantas Versus Zumbis*.

Então voltamos para a ilha.

Não muito tempo depois, Gat começou a me emprestar seus livros e me encontrar na praia pequena no início da noite. Ele me procurava quando eu estava deitada no gramado de Windemere com os cachorros.

Começamos a caminhar juntos na trilha que circunda a ilha, Gat na frente e eu atrás. Falávamos sobre livros ou inventávamos mundos imaginários. Às vezes dávamos a volta várias vezes até ficar com fome ou entediados.

Rosas japonesas demarcavam o caminho com um pink vivo. O cheiro era leve e doce.

Um dia, olhei para Gat, deitado na rede de Clairmont com um livro, e ele parecia... Bem, parecia ser meu. Como se fosse minha pessoa particular.

Fui para a rede ao lado dele em silêncio. Peguei a caneta de sua mão — ele sempre lia com uma caneta na mão — e escrevi *Gat* no dorso de sua mão esquerda e *Cadence* no da direita.

Ele pegou a caneta de mim. Escreveu *Gat* no dorso da minha mão esquerda e *Cadence* no da direita.

Não estou falando de destino. Não acredito em destino, almas gêmeas ou sobrenatural. Só sei que entendíamos um ao outro. Completamente.

Mas tínhamos apenas catorze anos. Eu nunca tinha beijado um menino, embora fosse beijar alguns no ano seguinte, e de alguma forma não rotulávamos aquilo de amor.

6

NO VERÃO DOS QUINZE, cheguei uma semana depois dos outros. Meu pai tinha ido embora e minha mãe e eu tínhamos todas aquelas compras para fazer, visitas ao decorador e tudo mais.

Johnny e Mirren nos encontraram no cais, bochechas rosadas, cheios de planos para o verão. Estavam preparando um torneio de tênis para toda a família e tinham separado receitas de sorvete. Íamos sair para velejar, acender fogueira.

Os pequenos estavam agitados e berravam como sempre. As tias davam sorrisos frios. Depois do alvoroço da chegada, todos foram a Clairmont para drinques antes do jantar.

Eu fui para Red Gate procurar Gat. Red Gate é uma casa muito menor que Clairmont, mas ainda tem quatro quartos no andar de cima. É onde Johnny, Gat e Will ficavam com a tia Carrie — e com Ed, quando ele estava lá, o que não era muito frequente.

Fui até a porta da cozinha e olhei pela tela. Gat não me viu. Estava parado junto à bancada, usando uma camiseta cinza desgastada e jeans. Seus ombros estavam mais largos do que eu lembrava.

Ele desamarrou uma flor seca que estava pendurada de cabeça para baixo na janela sobre a pia. Era uma rosa japonesa pink e de formas vagas, provavelmente da costa de Beechwood.

Gat, meu Gat. Ele tinha colhido para mim uma rosa de

nosso local preferido para caminhar. Tinha pendurado a flor para secar e esperado eu chegar à ilha para me entregar.

Eu já tinha beijado um ou três garotos irrelevantes a essa altura.

Tinha perdido meu pai.

Tinha saído de uma casa cheia de lágrimas e falsidade e ido para a ilha.

E eu vi Gat,

e vi aquela rosa na mão dele,

e, naquele momento, com a luz do sol entrando pela janela e brilhando sobre ele,

as maçãs sobre a bancada da cozinha,

o cheiro de madeira e maresia no ar,

eu rotulei de amor.

Era amor, e me atingiu com tanta força que me inclinei junto à porta de tela ainda entre nós para me manter de pé. Queria tocar nele como se fosse um coelhinho, um gatinho, algo tão especial e macio que seria difícil manter os dedos longe. O universo era bom porque ele existia. Eu amava o rasgo em seu jeans e a sujeira em seus pés descalços e a ferida em seu cotovelo e a cicatriz que atravessava uma sobrancelha. Gat, meu Gat.

Enquanto ficava ali parada, olhando, ele guardou a rosa em um envelope. Procurou uma caneta, abrindo e fechando gavetas ruidosamente, então encontrou uma no próprio bolso e escreveu.

Não me dei conta de que estava escrevendo um endereço até ele pegar um rolo de selos de uma gaveta da cozinha.

Gat selou o envelope. Escreveu o endereço do remetente.

Não era para mim.

Saí da porta de Red Gate antes que ele me visse e corri pela trilha da costa. Observei o céu escurecer, sozinha.

Arranquei todas as rosas de um arbusto infeliz e as joguei, uma atrás da outra, no mar colérico.

7

JOHNNY ME CONTOU da namorada de Nova York naquela noite. O nome dela era Raquel. Johnny até a conhecia. Ele morava em Nova York, como Gat, mas mais ao sul da cidade, com Carrie e Ed, enquanto Gat morava no norte com sua mãe. Johnny disse que Raquel fazia aula de dança moderna e usava roupas pretas.

O irmão de Mirren, Taft, me disse que Raquel tinha mandado para Gat um pacote de brownies caseiros. Liberty e Bonnie me contaram que Gat tinha fotos dela no celular.

Gat não mencionou nada sobre ela, mas não conseguia me olhar nos olhos.

Na primeira noite, chorei, roí as unhas e tomei vinho roubado da despensa de Clairmont. Girei impetuosamente céu adentro, furiosa, golpeando estrelas em seu ancoradouro, rodopiando e vomitando.

Bati o punho na parede do chuveiro. Lavei a vergonha e a raiva em água fria, muito fria. Depois fiquei tremendo na cama como o cachorro abandonado que era, pele tremendo sobre os ossos.

Na manhã seguinte e em todos os dias desde então, agi normalmente. Ergui meu queixo quadrado.

Velejamos e acendemos fogueiras. Ganhei o torneio de tênis.

Fizemos sorvete e tomamos sol.

Uma noite, nós quatro organizamos um piquenique na praia pequena. Mariscos no vapor, batata e milho. Os empregados que prepararam. Eu nem sabia o nome deles.

Johnny e Mirren desceram com a comida em assadeiras. Comemos em volta das chamas da fogueira, deixando pingar manteiga na areia. Depois Gat fez sanduíche de marshmallow com bolacha de três andares para todos. Olhei para suas mãos à luz do fogo, colocando marshmallows em um longo graveto. Onde antes havia nossos nomes escritos, agora ele tinha começado a escrever títulos de livros que gostaria de ler.

Naquela noite, na esquerda: *O ser e*. Na direita: *o nada*.

Eu tinha escrito nas mãos também. Uma citação de que gostava. Na esquerda: *Viva o*. Na direita: *hoje*.

— Querem saber o que estou pensando? — Gat perguntou.

— Sim — eu disse.

— Não — disse Johnny.

— Estou me perguntando como podemos dizer que o avô de vocês é dono dessa terra. Não legalmente, mas de fato.

— Por favor, não vai começar a falar dos crimes dos peregrinos — resmungou Johnny.

— Não. O que estou perguntando é: como podemos dizer que a terra pertence a *qualquer pessoa*? — Gat fez um gesto englobando a areia, o mar, o céu.

Mirren deu de ombros.

— As pessoas compram e vendem terra o tempo todo.

— Não podemos falar de sexo ou assassinato? — Johnny perguntou.

Gat o ignorou.

— Talvez ninguém devesse ser proprietário de terra. Ou talvez devessem existir limites de propriedade. — Ele se inclinou para a frente. — Quando fui para a Índia, no inverno, como voluntário, construímos banheiros. Porque as pessoas de lá, daquela vila, não *tinham*.

— Todo mundo já sabe que você foi para a Índia — Johnny afirmou. — Você já disse, tipo, umas quarenta e sete vezes.

Essa é uma coisa que eu adoro no Gat: ele é tão empolgado, tão extremamente interessado no mundo, que tem problemas em imaginar que outras pessoas possam ficar entediadas com o que ele está dizendo. Mesmo quando lhe dizem abertamente. Mas, também, ele não gosta de facilitar para nós. Quer nos fazer pensar — mesmo quando não estamos com vontade.

Gat cutucou as brasas com um graveto.

— Só estou dizendo que devíamos conversar sobre isso. Nem todo mundo tem ilhas particulares. Algumas pessoas trabalham nelas. Algumas trabalham em fábricas. Algumas não têm trabalho. Outras não têm o que comer.

— Pare de falar agora — disse Mirren.

— Pare de falar para sempre — disse Johnny.

— Em Beechwood, temos uma visão distorcida da humanidade — Gat afirmou. — Acho que vocês não percebem isso.

— Cala a boca — eu disse. — Eu te dou mais chocolate se ficar quieto.

E ele ficou, mas seu rosto se contorceu. Levantou de repente, pegou uma pedra na areia e a atirou com toda a força. Tirou o moletom e os sapatos. Então entrou no mar de calça jeans.

Zangado.

Observei os músculos de seus ombros ao luar, a água espirrando conforme ele avançava. Gat mergulhou e eu pensei: se eu não for atrás dele agora, aquela Raquel vai ficar com ele. Se eu não o seguir agora, ele vai se afastar. Dos Mentirosos, da ilha, de nossa família, de mim.

Tirei o suéter e segui Gat mar adentro de vestido. Caí na água, nadando até onde ele estava boiando de costas. O cabelo molhado estava para trás, mostrando a fina cicatriz em uma das sobrancelhas.

Encostei em seu braço.

— Gat.

Ele se assustou. Ficou em pé com o mar na altura da cintura.

— Desculpe — sussurrei.

— Eu não mando você calar a boca, Cady — ele disse. — Nunca te disse isso.

— Eu sei.

Ele ficou em silêncio.

— Por favor, não cale a boca — eu disse.

Senti os olhos dele percorrerem meu corpo coberto pelo vestido molhado.

— Eu falo demais — ele reconheceu. — Transformo tudo em política.

— Gosto quando você fala — eu disse, porque era verdade. Quando parava para escutar, realmente gostava.

— É que tudo me faz... — ele parou. — As coisas estão muito erradas no mundo, só isso.

— É.

— Talvez fosse melhor eu... — Gat pegou minhas mãos e as virou para olhar as palavras escritas no dorso. — Talvez fosse melhor eu "viver o hoje" e não ficar debatendo o tempo todo.

Minha mão estava em sua mão molhada.

Estremeci. Seus braços estavam descobertos e úmidos. Costumávamos ficar de mãos dadas o tempo todo, mas ele não tinha me tocado o verão inteiro.

— É bom que você enxergue o mundo dessa forma — eu disse a ele.

Gat me soltou e voltou a flutuar na água.

— Johnny quer que eu cale a boca. Estou deixando você e Mirren entediadas.

Olhei para o perfil dele. Não era apenas Gat. Era contemplação e entusiasmo. Ambição e café forte. Tudo aquilo estava lá, nas pálpebras de seus olhos castanhos, em sua pele macia, no lábio inferior protuberante. Havia uma espiral de energia lá dentro.

— Vou te contar um segredo — sussurrei.

— O quê?

Estiquei o braço e o toquei novamente. Ele não recuou.

— Quando falamos "Cala a boca, Gat", não é isso que queremos dizer.

— Não?

— Significa que te amamos. Você nos lembra de que somos uns cretinos egoístas. Você não é um de nós, nesse sentido.

Ele baixou os olhos. Sorriu.

— É isso que *você* quer dizer, Cady?

— É — respondi a ele. Deixei meus dedos percorrerem seu braço, que boiava esticado.

— Não acredito que vocês estão nessa água! — Johnny estava parado com água até os tornozelos, a barra da calça dobrada. — É o Ártico. Meus dedos estão congelando.

— Você acostuma depois que entra — Gat gritou em resposta.

— Sério?

— Não seja molenga! — berrou Gat. — Vire homem e entre logo na água.

Johnny riu e entrou correndo. Mirren foi atrás.

E foi... extraordinário.

A noite avultante sobre nós. O sussurro do mar. O som das gaivotas.

8

EU NÃO CONSEGUIA DORMIR.

Depois da meia-noite, ele chamou meu nome.

Olhei pela janela. Gat estava deitado na passagem de

madeira que leva a Windemere. Os cachorros estavam deitados ao lado dele, todos os cinco: Bosh, Grendel, Poppy, Príncipe Philip e Fatima. Os rabos balançavam com suavidade.

A luz da lua fazia todos parecerem azuis.

— Desça aqui — ele pediu.

Desci.

A luz do quarto da minha mãe estava apagada. O resto da ilha estava no escuro. Estávamos sozinhos, exceto pelos cachorros.

—Vai mais para lá — eu disse a ele. A passagem não era larga. Quando deitei ao lado dele, nossos braços se tocaram, o meu descoberto e o dele vestindo uma jaqueta verde-oliva.

Olhamos para o céu. Tantas estrelas. Parecia uma celebração, uma festa grandiosa e proibida que a galáxia fazia depois de colocar os humanos para dormir.

Fiquei feliz por Gat não tentar parecer versado em constelações nem dizer coisas idiotas sobre pedidos para as estrelas. Mas também não sabia o que fazer com seu silêncio.

— Posso segurar sua mão? — ele perguntou.

Dei a mão para ele.

— O universo parece realmente enorme agora — ele me disse. — Preciso me segurar em algo.

— Estou aqui.

Ele esfregou o polegar no centro da palma da minha mão. Todos os meus nervos se contraíram, atentos aos movimentos da pele dele junto à minha.

— Não sei se sou uma boa pessoa — ele disse depois de um tempo.

—Também não sei se sou — eu disse. — Estou improvisando.

— É — Gat ficou em silêncio por um instante. —Você acredita em Deus?

— Mais ou menos. — Tentei pensar nisso com seriedade. Sabia que Gat não ficaria satisfeito com uma resposta irreverente. — Quando as coisas vão mal, eu rezo ou imagino alguém tomando conta de mim, ouvindo. Por exemplo, nos primeiros dias depois que meu pai foi embora, pensei em Deus. Em busca de proteção. Mas no resto do tempo só enfrento o dia a dia. Sem nada de espiritual.

— Eu não acredito mais — Gat disse. — Aquela viagem para a Índia, toda aquela pobreza. Nenhum Deus que eu possa imaginar deixaria aquilo acontecer. Depois voltei para casa e comecei a notar o mesmo nas ruas de Nova York. Pessoas doentes e famintas em um dos países mais ricos do mundo. Eu simplesmente... não consigo acreditar que tem alguém olhando por aquelas pessoas. O que significa que não tem ninguém olhando por mim também.

— Isso não te transforma em uma pessoa ruim.

— Minha mãe acredita. Ela foi criada no budismo, mas agora frequenta a igreja metodista. Não está muito satisfeita comigo. — Gat quase nunca falava da mãe.

—Você não pode acreditar em algo só porque ela quer — eu disse.

— Não. A questão é: como posso ser uma boa pessoa se não acredito mais?

Ficamos olhando para o céu. Os cachorros entraram em casa pela abertura na porta.

— Você está gelada — Gat disse. — Fique com a minha jaqueta.

Eu não estava com frio, mas sentei. Ele sentou também. Desabotoou a jaqueta verde-oliva e a tirou. Entregou-a para mim.

A jaqueta estava com o calor de seu corpo. Ficava larga demais nos ombros. Os braços dele agora estavam descobertos.

Eu quis beijá-lo ali, usando sua jaqueta. Mas não beijei.

Talvez ele amasse Raquel. Aquelas fotos em seu celular. Aquela rosa seca no envelope.

9

NA MANHÃ SEGUINTE, durante o café, minha mãe me pediu para olhar as coisas do meu pai no sótão de Windemere e pegar o que eu quisesse. Ela se livraria do resto.

Windemere é triangular e angulosa. Dois dos cinco quartos têm teto inclinado, e é a única casa da ilha com um sótão inteiro. Há uma varanda grande e uma cozinha moderna, com bancadas de mármore que parecem um pouco inadequadas ao lugar. Os cômodos são arejados e cheios de cachorros.

Gat e eu subimos para o sótão com garrafas de chá gelado e sentamos no chão. O quarto tinha cheiro de madeira. Um quadrado de luz entrava pela janela.

Nós já tínhamos ido ao sótão.

Mas também nunca tínhamos ido ao sótão.

Os livros se restringiam à leitura de férias do meu pai. Biografias de esportistas, romances policiais e revelações de astros do rock escritas por pessoas velhas de quem eu nunca tinha ouvido falar. Gat não estava prestando atenção. Separava os livros por cor. Uma pilha vermelha, uma azul, uma marrom, uma branca, uma amarela.

— Não quer nada para ler? — perguntei.

— Pode ser.

— Que tal *Como marcar mais do que pontos*?

Gat riu. Fez que não com a cabeça. Endireitou a pilha azul.

— *Perdendo o controle*? *Herói da pista de dança*?

Ele riu de novo. Depois ficou sério.

— Cadence?

— O quê?

— Cala a boca.

Permiti-me olhar para ele por um bom tempo. Cada curva de seu rosto era familiar, e ao mesmo tempo era como se eu nunca o tivesse visto.

Gat sorriu. Radiante. Acanhado. Ele ajoelhou, derrubando as pilhas de livros coloridos no processo. Estendeu o braço e acariciou meu cabelo.

— Eu te amo, Cady. Estou falando sério.

Eu me aproximei e o beijei.

Ele tocou meu rosto. Desceu a mão pelo meu pescoço e pela minha clavícula. A luz da janela do sótão batia em nós. Nosso beijo foi elétrico e suave,

hesitante e exato,

assustador e completamente certo.
Senti o amor correr de mim para Gat e de Gat para mim.
Estávamos aquecidos e tremendo,
jovens e velhos,
e vivos.
Eu estava pensando: é verdade, nós já nos amamos.
Já.

10

MEU AVÔ ENTROU BEM NA HORA. Gat deu um pulo. Pisou sem jeito nos livros separados por cor, que se espalharam pelo chão.

— Estou interrompendo? — meu avô perguntou.

— Não, senhor.

— Sim, com certeza estou.

— Desculpe pela poeira — eu disse. Constrangedor.

— Penny achou que pudesse ter algo aqui que eu quisesse ler. — Meu avô puxou uma antiga cadeira de vime para o centro do sótão e sentou, debruçando-se sobre os livros.

Gat permaneceu em pé. Ele precisava abaixar a cabeça por causa do teto inclinado do sótão.

— Cuidado, meu jovem — disse meu avô, curto e grosso.

— Perdão?

— Cuidado com a cabeça. Você pode se machucar.

— O senhor tem razão — disse Gat. — O senhor tem razão, posso me machucar.

— Então tome cuidado — meu avô repetiu.

Gat se virou e desceu as escadas sem dizer mais nada.

Meu avô e eu ficamos em silêncio por um momento.

— Ele gosta de ler — eu disse, depois de um tempo. — Achei que pudesse querer algum livro do meu pai.

—Você é muito importante pra mim, Cady — disse meu avô, batendo no meu ombro. — Minha primeira neta.

— Eu também te amo, vovô.

— Lembra quando te levei ao jogo de beisebol? Você só tinha quatro anos.

— Claro.

—Você nunca tinha comido pipoca doce — meu avô disse.

— Eu sei, você comprou dois sacos.

— Tive que te colocar no colo para você poder enxergar. Lembra, Cady?

Eu lembrava.

— Conta pra mim.

Eu sabia o tipo de resposta que meu avô queria que eu desse. Era um pedido que fazia quase sempre. Ele gostava de reviver os momentos importantes da família Sinclair, aumentando sua importância. Estava sempre perguntando o significado de alguma coisa, e a gente tinha que responder com detalhes. Imagens. Talvez uma lição aprendida.

Normalmente eu adorava contar e ouvir essas histórias. Os lendários Sinclair, como nos divertíamos, como éramos bonitos. Mas naquele dia eu não queria.

— Foi seu primeiro jogo de beisebol. — Meu avô insistiu.

— Depois disso, comprei um taco vermelho de plástico. Você praticou o giro no gramado da casa de Boston.

Será que meu avô sabia o que havia interrompido? Ele se importaria se soubesse?

Quando eu veria Gat novamente?

Ele terminaria com Raquel?

O que aconteceria entre nós?

—Você quis fazer pipoca doce em casa. — Meu avô prosseguiu, embora soubesse que eu conhecia a história. — E Penny te ajudou. Mas você chorou quando viu que não tínhamos saquinhos vermelhos e brancos para colocar. Você se lembra disso?

— Lembro, vô — respondi, cedendo. —Você voltou até o estádio no mesmo dia e comprou dois sacos de pipoca doce. Comeu tudo no caminho, só para poder me dar os saquinhos. Eu lembro.

Satisfeito, ele se levantou e saímos juntos do sótão. Meu avô tinha dificuldade de descer as escadas, então colocou a mão no meu ombro.

ENCONTREI GAT na trilha da costa e corri até onde ele estava, olhando para a água. O vento estava forte e meu cabelo voava no olho. Quando eu o beijei, seus lábios estavam salgados.

11

VOVÓ TIPPER MORREU do coração oito meses antes do verão dos quinze em Beechwood. Ela era uma mulher estonteante, mesmo depois de velha. Cabelo branco, bochechas rosadas; alta e magra. Foi vovó Tipper quem fez minha mãe amar tanto os cães. Sempre teve pelo menos dois golden retrievers, às vezes quatro, desde a infância das filhas até morrer.

Minha avó era muito crítica e tinha seus favoritos, mas era afetuosa. Quando éramos pequenos, quem levantava cedo em Beechwood podia ir até Clairmont acordá-la. Ela sempre tinha massa de muffin na geladeira, que colocava em forminhas, então deixava os netos comerem quantos quisessem antes de o resto da ilha acordar. Vovó Tipper nos levava para colher frutas silvestres e nos ajudava a fazer torta ou uma coisa que chamava de bolo invertido para comermos à noite.

Um de seus projetos era uma festa beneficente todos os anos para o Instituto Agrícola de Martha's Vineyard. Todos comparecíamos. Era ao ar livre, em belas tendas brancas. Os pequenos corriam com roupa de festa e pés descalços. Johnny, Mirren, Gat e eu roubávamos taças de vinho e ficávamos tontos e bobos. Minha avó dançava com Johnny, depois com meu pai, depois com vovô, segurando a saia com uma das mãos. Eu tinha uma foto da minha avó em uma dessas festas beneficentes. Ela usava um vestido de festa e segurava um leitão.

No verão dos quinze em Beechwood, vovó Tipper tinha partido. Clairmont parecia vazia.

A casa é cinza, em estilo vitoriano e tem três andares. Há uma pequena torre e uma varanda cercada. Dentro, é repleta de cartuns originais da *New Yorker*, fotos de família, almofadas bordadas, estatuetas, pesos de papel de marfim, peixes empalhados em quadros. Em todos os lugares, todos, há belos objetos colecionados por Tipper e meu avô. No gramado há uma enorme mesa, grande o bastante para acomodar dezesseis pessoas, e, a certa distância, um balanço de pneu pendurado nos galhos de uma gigantesca acerácea.

Vovó costumava tumultuar a cozinha e planejar passeios. Fazia colchas em sua sala de artesanato, e o zumbido da máquina de costura podia ser ouvido do andar de baixo. Dava ordens para o caseiro usando luvas de jardinagem e jeans.

Agora a casa estava em silêncio. Nenhum livro de receita aberto sobre a bancada, nenhuma música clássica no aparelho de som da cozinha. Mas o sabonete preferido dela ainda estava em todas as saboneteiras. Eram suas plantas que cresciam no jardim. Suas colheres de pau, seus guardanapos de pano.

Um dia, quando não havia ninguém por perto, fui até a sala de artesanato nos fundos do térreo. Toquei a coleção de tecidos da minha avó, os botões brilhantes, as linhas coloridas.

Minha cabeça e meus ombros derreteram primeiro, seguidos pelo quadril e pelos joelhos. Logo me transformei em uma poça, infiltrando-me nas lindas estampas do algodão. Ensopei a colcha que ela nunca terminou, enferrujei as peças de metal de sua máquina de costura. Eu era puro líquido naquele momento, durante uma ou duas horas. Minha avó. Minha avó. Perdida para sempre, embora eu pudesse sentir seu perfume Chanel nos tecidos.

Minha mãe me encontrou.

Ela me fez agir como uma pessoa normal. Porque eu era. Porque eu podia. Ela me disse para respirar fundo e me endireitar.

E eu fiz o que ela mandou. De novo.

Minha mãe estava preocupada com meu avô. Ele ficava perdido sem minha avó, segurando-se em cadeiras e mesas para manter o equilíbrio. Era o chefe da família, e ela não queria que ele se desestabilizasse. Queria que soubesse que suas filhas e seus netos ainda estavam por perto, fortes e alegres como sempre. Era importante, ela disse; era gentil; era melhor. Não cause transtorno, ela disse. Não faça as pessoas se lembrarem da perda.

—Você entende, Cady? O silêncio é uma camada protetora sobre a dor.

Eu entendi e consegui apagar vovó Tipper das conversas do mesmo modo que havia apagado meu pai. Não com satisfação, mas por completo. Nas refeições com minhas tias, no barco com meu avô, até mesmo sozinha com minha mãe, eu me comportava como se essas duas pessoas críticas nunca tivessem existido. Os outros Sinclair faziam o mesmo. Quando estávamos todos juntos, mantinham um sorriso largo no rosto. Havíamos feito o mesmo quando Bess deixara tio Brody, o mesmo quando tio William deixara Carrie, o mesmo quando o cão da minha avó, Peppermill, morreu de câncer.

Mas Gat nunca entendeu isso. Ele mencionava meu pai várias vezes, na verdade. Meu pai considerava Gat um bom adversário de xadrez e uma audiência sempre disposta a ouvir seus relatos chatos sobre história militar, então os dois passavam algum tempo juntos. "Lembra quando seu pai pegou aquele caranguejo grande?", Gat dizia. Ou, para minha mãe:

"Ano passado, Sam me falou que tinha um kit de pesca com mosca no ancoradouro. Você sabe onde está?".

A conversa durante o jantar era interrompida bruscamente quando ele mencionava minha avó. Uma vez, Gat disse: "Sinto falta de quando ela ficava na ponta da mesa e servia a sobremesa, vocês não sentem? Era tão típico dela". Johnny teve que ficar falando alto sobre Wimbledon até o desalento desaparecer de nosso rosto.

Sempre que Gat dizia essas coisas, de modo tão casual e verdadeiro, tão distraído, minhas veias se abriam. Meu pulso se abria. Eu sangrava pela palma das mãos. Ficava com tontura. Saía cambaleando da mesa ou desmoronava em uma agonia silenciosa e constrangedora, esperando que ninguém da família notasse. Principalmente minha mãe.

Mas Gat quase sempre percebia. Quando o sangue pingava em meus pés descalços ou escorria sobre o livro que estava lendo, ele era gentil. Envolvia meus pulsos em gaze branca e macia e me fazia perguntas sobre o que tinha acontecido. Perguntava sobre meu pai e sobre minha avó — como se falar sobre uma coisa fizesse melhorar. Como se feridas precisassem de atenção.

Ele era um estranho em nossa família, mesmo depois de todos aqueles anos.

QUANDO EU NÃO ESTAVA SANGRANDO, e quando Mirren e Johnny estavam mergulhando ou discutindo com os pequenos, ou quando todos estavam no sofá assistindo a filmes na TV de tela plana de Clairmont, Gat e eu nos escondíamos. Sentávamos no balanço de pneu à meia-noite, braços e pernas enrolados, lábios quentes junto à pele na noite fria. Nas manhãs, nos esgueirávamos, rindo, para o porão de Clairmont, com garrafas de vinho e enciclopédias. Lá, nos beijávamos e nos maravilhávamos com a existência um do outro, nos sentindo misteriosos e felizes. Às vezes ele me escrevia bilhetes e deixava com presentinhos sob meu travesseiro.

Alguém escreveu uma vez que um romance devia apresentar uma série de pequenas surpresas. É a mesma coisa quando passo uma hora com você.

E aqui está uma escova de dentes verde com um laço amarrado.

Ela expressa meus sentimentos de maneira inadequada.

Foi melhor do que chocolate ficar com você ontem à noite.

Como sou bobo! Achei que nada fosse melhor do que chocolate.

Em um gesto profundamente simbólico, te dou essa barra de Vosges que comprei quando fomos para Edgartown. Pode comer ou simplesmente sentar ao lado dela e se sentir superior.

Eu não respondia com bilhetes, mas fazia desenhos bobos de nós dois com giz de cera. Bonequinhos acenando em frente ao Coliseu, à Torre Eiffel, no alto de uma montanha, nas costas de um dragão. Ele colava tudo sobre a cama.

Gat tocava em mim sempre que podia. Por baixo da mesa, durante o jantar; na cozinha, quando estava vazia; secretamente, de forma hilária, por trás das costas do meu avô enquanto ele conduzia o barco. Eu não sentia barreira entre nós. Contanto que não tivesse ninguém olhando, passava os dedos ao longo das maçãs do rosto dele, em suas costas. Pegava sua mão, pressionava o polegar junto a seu pulso e sentia o sangue correndo pelas veias.

12

UMA NOITE, no final de julho do verão dos quinze, fui nadar na praia pequena. Sozinha.

Onde estavam Gat, Johnny e Mirren?

Não sei ao certo.

Andávamos jogando muito Scrabble em Red Gate. Eles deviam estar por lá. Ou em Clairmont, escutando as tias discutirem e comendo geleia de ameixa com biscoito.

De qualquer modo, entrei na água usando uma regata, sutiã e calcinha. Aparentemente, caminhei até a praia vestindo apenas isso. Nunca encontramos nenhuma roupa minha na areia. Nem toalha.

Por quê?

De novo, não sei ao certo.

Devo ter nadado para longe. Havia pedras grandes distantes da praia, ásperas e escuras; elas sempre parecem horríveis na escuridão da noite. Eu devia estar com o rosto dentro d'água e bati a cabeça em uma dessas pedras.

Como eu disse, não sei ao certo.

Só me lembro de uma coisa: afundei nesse mar,
até o fundo muito rochoso, e
pude ver a base da ilha, e
meus braços e pernas ficaram dormentes, mas meus dedos estavam frios. Tiras de algas marinhas passavam enquanto eu afundava.

Minha mãe me encontrou na areia, encolhida como uma bola, com metade do corpo ainda na água. Eu tremia descontroladamente. Os adultos me enrolaram em cobertores. Tentaram me aquecer em Cuddledown. Me deram chá e roupas, mas, quando viram que eu não falava nem parava de tremer, me levaram para um hospital em Martha's Vineyard, onde fiquei durante vários dias enquanto os médicos faziam exames. Hipotermia, problemas respiratórios e provavelmente algum tipo de ferimento na cabeça, embora a tomografia não mostrasse nada.

Minha mãe ficou do meu lado, reservou um quarto de hotel. Eu me lembro do rosto triste de tia Carrie, tia Bess e meu avô. Eu me lembro de sentir os pulmões cheios de alguma coisa, bem depois de os médicos dizerem que estavam limpos. Eu me lembro de achar que nunca mais ficaria aquecida, mesmo quando me diziam que a temperatura do meu corpo estava normal. Minhas mãos doíam. Meus pés doíam.

Minha mãe me levou para casa, em Vermont, para eu me

recuperar. Eu ficava deitada no escuro e sentia uma pena desesperadora de mim mesma. Porque estava doente, e mais ainda porque Gat nunca ligou.

Ele também não escreveu.

Não estávamos apaixonados?

Não estávamos?

Escrevi para Johnny, dois ou três e-mails apaixonados e ridículos pedindo para ele descobrir o que havia acontecido com Gat.

Johnny teve o bom senso de ignorá-los. Somos Sinclair, afinal, e os Sinclair não se comportam como eu estava me comportando.

Parei de escrever e apaguei todos os e-mails da pasta "Enviados". Eram tolos.

O que importa é que Gat deu o fora quando me machuquei.

O que importa é que não passou de uma paixonite de verão.

O que importa é que ele devia amar Raquel.

Morávamos muito longe, de qualquer modo.

Nunca recebi uma explicação.

Só sei que ele me deixou.

13

BEM-VINDO AO MEU CRÂNIO.

Um caminhão passa por cima dos ossos do meu pescoço e da minha cabeça. As vértebras se rompem, o cérebro estala e vaza. Milhares de lanternas piscam em meus olhos. O mundo se inclina.

Eu vomito. Perco os sentidos.

Isso acontece o tempo todo. Não passa de um dia comum.

A dor começou seis semanas depois do acidente. Ninguém tinha certeza se as duas coisas estavam relacionadas, mas não havia como negar o vômito, a perda de peso e o horror em geral.

Minha mãe me levou para fazer ressonâncias magnéticas e tomografias. Agulhas, máquinas. Mais agulhas, mais máquinas. Fizeram exames procurando um tumor no cérebro, meningite. Tudo. Para aliviar a dor, receitaram esse medicamento e aquele medicamento e aquele outro medicamento, porque o primeiro não funcionou e o segundo tampouco. Passaram uma receita atrás da outra sem saber o que havia de errado. Apenas tentando domar a dor.

Cadence, disseram os médicos, não exagere.

Cadence, disseram os médicos, observe sinais de dependência.

Mas também: Cadence, não se esqueça de tomar os remédios.

Eram tantas consultas que nem consigo lembrar. Depois de um tempo, os médicos chegaram a um diagnóstico. Cadence Sinclair Eastman: cefaleia pós-traumática, também conhecida como CPT. Enxaquecas causadas por lesão cerebral.

Eu vou ficar bem, dizem.

Não vou morrer.

Só vai doer muito.

14

APÓS UM ANO NO COLORADO, meu pai quis me ver novamente. Na verdade, ele insistiu em me levar para Itália, França, Alemanha, Espanha e Escócia — uma viagem de dez semanas em meados de junho, o que significava que eu não iria a Beechwood no verão dos dezesseis.

— Essa viagem veio na hora certa — disse minha mãe, radiante, enquanto arrumava minha mala.

— Por quê? — Eu fico deitada no chão do quarto enquanto ela faz o trabalho. Minha cabeça dói.

— Seu avô está reformando Clairmont. — Ela fez bolas com as meias. — Já falei um milhão de vezes.

Eu não lembrava.

— Por quê?

— Coisas da cabeça dele. Vai passar o verão em Windemere.

—Você vai com ele?

Minha mãe fez que sim com a cabeça.

— Ele não pode ficar com Bess nem com Carrie. E você sabe que precisa de cuidados. Seja como for, você vai aprender muita coisa na Europa.

— Prefiro ir para Beechwood.

— Não, não prefere — ela disse, firme.

NA EUROPA, vomitei em pequenos baldes e escovei os dentes repetidamente com a pasta de dente britânica de consistência áspera. Deitei de bruços no chão do banheiro de vários museus, sentindo o piso frio sob o rosto enquanto meu cérebro se liquefazia e saía pelo ouvido, borbulhando. Enxaquecas espalhavam meu sangue sobre os estranhos lençóis de hotel, no chão, nos carpetes, em sobras de croissants e florentinas.

Eu podia ouvir meu pai me chamando, mas nunca respondia antes de o remédio fazer efeito.

Senti falta dos Mentirosos naquele verão.

Nunca mantínhamos contato durante o ano. Não muito, pelo menos, embora tivéssemos tentado quando éramos mais novos. Trocávamos mensagens, marcávamos uns aos outros em fotos do verão, principalmente em setembro, mas sempre íamos nos afastando depois de um ou dois meses. De certo modo, a magia de Beechwood nunca foi transportada para nosso cotidiano. Não queríamos saber dos amigos da escola, clubes e times uns dos outros. Sabíamos que nossa afeição seria renovada quando nos víssemos no cais no mês de junho do ano seguinte, o ar salgado, o sol refletindo na água.

Mas no ano posterior ao acidente, perdi dias e até semanas de aula. Fui mal em várias matérias e o diretor me informou que eu teria de repetir o terceiro ano. Parei de jogar futebol e tênis. Não podia trabalhar como babá. Não podia dirigir. Os amigos que tinha acabaram virando apenas conhecidos.

Mandei algumas mensagens de texto para Mirren. Liguei e deixei recados dos quais depois senti vergonha, tamanho o teor solitário e carente.

Liguei para Johnny também, mas sua caixa de mensagens estava lotada.

Resolvi não ligar mais. Não queria ficar dizendo coisas que fizessem me sentir fraca.

Quando meu pai me levou para a Europa, eu sabia que os Mentirosos estavam na ilha. Meu avô não tinha instalado internet em Beechwood e não havia sinal de celular por lá, mas comecei a escrever e-mails. Diferente das minhas lastimáveis mensagens de voz, esses eram recados charmosos e encantadores de uma pessoa sem dores de cabeça.

Na maior parte do tempo.

Mirren!
Mando um oi de Barcelona, onde meu pai comeu sopa de caracol.
No hotel, tudo é dourado. Até os saleiros. É gloriosamente odioso.
Escreva contando as malcriações dos pequenos, em quais faculdades você vai se inscrever e se encontrou o amor verdadeiro.
Cadence

Johnny!
Bonjour de Paris, onde meu pai comeu rã.
Vi a *Vitória de Samotrácia*. Corpo extraordinário. Sem braços.
Estou com saudade de vocês. Como está Gat?
Cadence

Mirren!
Olá de um castelo na Escócia, onde meu pai comeu *haggis*. Ou seja, meu pai comeu coração, fígado e pulmões de carneiro misturados com aveia e cozidos em um estômago.
Você sabe, ele é o tipo de pessoa que devora corações.

Cadence

Johnny!
Estou em Berlim, onde meu pai comeu morcela.
Mergulhe por mim. Coma torta de mirtilo. Jogue tênis. Acenda uma fogueira. Depois me conte. Estou extremamente entediada e inventarei castigos criativos se você não colaborar.

Cadence

NÃO FIQUEI TOTALMENTE SURPRESA quando eles não responderam. Além do fato de que, para acessar a internet, precisariam ir até Martha's Vineyard, Beechwood é praticamente um mundo à parte. Uma vez lá, o resto do universo parece um sonho desagradável.

A Europa talvez nem existisse.

15

BEM-VINDO, MAIS UMA VEZ, à bela família Sinclair.
Acreditamos em exercícios ao ar livre. Acreditamos que o tempo cura.
Acreditamos, embora não digamos de maneira tão explícita, em remédios controlados e drinques antes do jantar.
Não discutimos nossos problemas em restaurantes. Não acreditamos em demonstrações públicas de angústia. Nosso lábio superior é rígido e é possível que as pessoas fiquem curiosas a nosso respeito porque não abrimos nosso coração.
É possível que apreciemos o modo como as pessoas ficam curiosas a nosso respeito.
Aqui em Burlington agora somos só eu, minha mãe e os cães. Não temos o peso do meu avô em Boston nem o impacto de toda a família em Beechwood, mas ainda assim sei como as pessoas nos veem. Minha mãe e eu somos praticamente iguais, na casa grande com varanda no alto da colina. A mãe esbelta e a filha doente. Temos maçãs do rosto protuberantes, ombros largos. Sorrimos e mostramos os dentes quando vamos à cidade.
A filha doente não fala muito. As pessoas que a conhecem da escola tendem a se manter afastadas. Não a conheciam direito antes de ficar doente mesmo. Ela já era quieta.
Agora, falta à escola na metade do tempo. Quando está lá, sua pele pálida e os olhos úmidos tornam seu visual encantadoramente trágico, como uma heroína da literatura definhan-

do com tuberculose. Às vezes ela cai na escola, chorando. Assusta os outros alunos. Mesmo os mais gentis já estão cansados de levá-la até a enfermaria.

Ainda assim, tem uma aura de mistério que a impede de ser importunada ou escolhida como alvo de brincadeiras desagradáveis típicas do colégio. Sua mãe é uma Sinclair.

Naturalmente, não sinto meu próprio mistério ao comer uma lata de sopa tarde da noite ou ao ficar deitada sob a luz fluorescente da enfermaria da escola. Não é nada glamoroso como eu e minha mãe brigamos desde que meu pai se foi.

Eu acordo e a encontro parada na porta do meu quarto, observando.

— Não fique me olhando.

— Eu te amo. Estou cuidando de você — ela diz com a mão no coração.

— Bem, pare com isso.

Se eu pudesse fechar a porta na cara dela, faria isso. Mas não consigo levantar.

Com frequência, encontro anotações que parecem registrar os alimentos que ingeri em determinado dia: *meia torrada com geleia; maçã e pipoca; salada com passas; chocolate; macarrão. Hidratação? Proteína? Muito refrigerante.*

Não é glamoroso não poder dirigir. Não é misterioso ficar em casa em pleno sábado à noite, lendo um romance com um amontoado de cachorros. No entanto, não estou imune à sensação de ser *vista* como um mistério, como uma Sinclair, como parte de um clã privilegiado de pessoas especiais, e como parte de uma narrativa mágica, importante, apenas por fazer parte desse clã.

Minha mãe também não está imune a isso.

Foi para isso que fomos criadas.

Sinclair. Sinclair.

PARTE DOIS
Vermont

16

QUANDO EU TINHA OITO ANOS, meu pai me deu uma pilha de livros de contos de fadas de Natal. Eles tinham capas coloridas. *O livro amarelo dos contos de fadas, O livro azul dos contos de fadas, O vermelho, O verde, O cinza, O marrom* e *O laranja*. Neles, havia contos do mundo todo, variações e mais variações de histórias conhecidas.

Ao ler, ouvem-se ecos de uma história dentro da outra, depois ecos de outra dentro daquela. Muitas têm a mesma premissa: era uma vez, três.

Três alguma coisa:
três porquinhos,
três ursos,
três irmãos,
três soldados,
três cabritos.
Três princesas.

Desde que voltei da Europa, escrevo alguns contos de fadas. Variações.

Tenho tempo, então vou contar uma história. Quer dizer, uma variação de uma história que você já conhece.

ERA UMA VEZ um rei que tinha três lindas filhas.

Conforme envelhecia, ele começou a pensar quem deveria herdar o reino, uma vez que nenhuma delas havia se casado e ele não tinha sucessor. O rei decidiu pedir que as filhas demonstrassem seu amor por ele.

À princesa mais velha, perguntou: "Como define seu amor por mim?".

Ela o amava na mesma extensão de todo o tesouro do reino.

À princesa do meio, ele perguntou: "Como define seu amor por mim?".

Ela o amava com a força do ferro.

À princesa mais nova, ele perguntou: "Como define seu amor por mim?".

A princesa mais nova pensou por um bom tempo antes de responder. Finalmente, disse que o amava da mesma forma que a carne ama o sal.

"Então não me ama nada", o rei concluiu. Ele expulsou a filha do castelo e suspendeu a ponte para que ela não pudesse voltar.

Então a princesa mais nova vai para a floresta levando apenas um casaco e um filão de pão. Vagueia em meio a um rigoroso inverno, abrigando-se embaixo das árvores. Chega em uma pousada e é contratada como auxiliar de cozinha. Passam-se dias e semanas e a princesa vai aprendendo a cozinhar. Em certo ponto, supera sua empregadora em habilidade e sua comida fica conhecida em toda a região.

Anos se passam e a princesa mais velha se casa. A cozinheira da pousada prepara o banquete do casamento.

Finalmente, um enorme leitão assado é servido. É o prato preferido do rei, mas dessa vez foi preparado sem sal.

O rei prova a carne.

Prova novamente.

"Quem ousa servir um assado tão malfeito no casamento da futura rainha?", ele grita.

A princesa-cozinheira aparece diante do pai, mas está tão mudada que ele não a reconhece. *"Eu nunca serviria sal ao senhor, Vossa Majestade"*, ela explica. *"Pois não exilou sua filha mais nova por dizer que ele tinha valor?"*

Ao ouvir essas palavras, o rei não apenas se dá conta de que aquela é sua filha, mas de que é, na verdade, a filha que o ama mais.

E agora?

A filha mais velha e a do meio viveram com o rei esse tempo todo. Uma era favorecida numa semana, a outra na seguinte. Elas haviam se afastado devido às constantes comparações feitas pelo pai. Agora que a mais nova voltou, o rei tira o reino da mais velha, que acabara de casar. Ela não será rainha, afinal, e fica enfurecida.

A princípio, a mais nova deleita-se com o amor paterno. Em pouco tempo, contudo, percebe que o rei é louco e tem sede de poder. Ela será rainha, mas ao mesmo tempo será obrigada a cuidar de um velho tirano pelo resto de seus dias. Não vai abandoná-lo, não importa o quanto fique doente.

Ela fica porque o ama como a carne ama o sal?

Ou fica porque ele lhe prometeu o reino?

É difícil para ela notar a diferença.

17

NO OUTONO SEGUINTE à viagem para a Europa, comecei um projeto. Dou algo meu todo dia.

Enviei a Mirren pelo correio uma Barbie antiga com cabelo muito comprido, pela qual costumávamos brigar quando éramos crianças. Mandei para Johnny um cachecol listrado que costumava usar muito. Johnny gosta de listras.

Para os mais velhos da família — minha mãe, as tias, o vovô —, o acúmulo de belos objetos é uma meta de vida. Quem morrer com mais coisas ganha.

Ganha *o quê*? É o que eu gostaria de saber.

Eu era uma pessoa que gostava de coisas bonitas. Assim como minha mãe, como todos os Sinclair. Mas não sou mais assim.

Minha mãe encheu nossa casa em Burlington com prata e cristal, livros de arte e mantas de caxemira. Tapetes grossos cobrem todos os pisos, e quadros de vários artistas locais que ela apadrinha ocupam as paredes. Minha mãe gosta de porcelana antiga e expõe peças na sala de jantar. Trocou o Saab em perfeitas condições por uma BMW.

Nenhum desses símbolos de prosperidade e bom gosto tem utilidade.

— Beleza é uma utilidade válida — minha mãe argumenta. — Cria um senso de pertencimento, de história pessoal. Até mesmo prazer, Cadence. Já ouviu falar de prazer?

Mas eu acho que ela está mentindo, para mim e para si mesma, sobre o motivo de ter esses objetos. O impacto de uma nova compra faz minha mãe se sentir poderosa, mesmo que apenas por um instante. Acho que há status em ter uma casa cheia de coisas bonitas, em comprar caríssimas pinturas de conchas de seus amigos com pretensões artísticas e colheres da Tiffany. Antiguidades e tapetes orientais dizem às pessoas que minha mãe pode ser só uma criadora de cães que abandonou o curso de artes em Bryn Mawr, mas tem poder — porque tem dinheiro.

DOAÇÃO: meu travesseiro. Eu o levo quando saio.

Há uma menina encostada no muro da biblioteca. Ela tem um copo perto dos tornozelos, para os trocados. Não é muito mais velha do que eu.

— Quer esse travesseiro? — pergunto. — Lavei a fronha.

Ela pega e senta em cima dele.

Não fiquei confortável na minha cama aquela noite, mas foi por um bom motivo.

DOAÇÃO: exemplar de *Rei Lear*, que li quando estava no segundo ano, encontrado debaixo da cama.

Doado para a biblioteca pública.

Não preciso ler de novo.

DOAÇÃO: uma foto da vovó Tipper em uma festa do Instituto Agrícola, usando um vestido de festa e segurando um leitão.

Paro no Exército de Salvação a caminho de casa.

— Olá, Cadence — diz Patti do outro lado do balcão. — Veio trazer alguma coisa?

— Essa era minha avó.

— Ela era uma linda mulher — diz Patti, espiando. — Tem certeza de que não quer tirar a foto? Pode doar apenas a moldura.

—Tenho certeza.

Vovó morreu. Ter uma foto dela não vai mudar nada.

— VOCÊ FOI no Exército de Salvação de novo? — minha mãe pergunta quando chego em casa. Ela está fatiando pêssegos com uma faca especial para frutas.

— Fui.

— Do que se livrou?

— Só uma foto velha da vovó.

— Com o leitão? — Ela torce os lábios. — Ah, Cady.

— Era minha, eu podia fazer o que quisesse.

Minha mãe suspira.

— Se doar um dos cães, vai ouvir um sermão eterno.

Eu me agacho na altura dos cães. Bosh, Grendel e Poppy me cumprimentam com latidos baixos, adequados para o interior da casa. São os cães de nossa família, distintos e bem-educados. Golden retrievers de raça pura. Poppy deu várias crias para o canil da minha mãe, mas os filhotes e os outros cães reprodutores moram com seu sócio em uma fazenda perto de Burlington.

— Eu nunca faria isso — digo.

Sussurro o quanto os amo em suas orelhas macias de cachorro.

18

SE EU PESQUISAR no Google "traumatismo cranioencefálico", a maioria dos sites me diz que amnésia seletiva é uma consequência. Quando há dano cerebral, não é incomum um paciente esquecer coisas. Será incapaz de reconstituir um relato coerente do trauma.

Mas não quero que as pessoas saibam que sou assim. Que ainda sou assim, depois de todas as consultas, todas as tomografias e todos os medicamentos.

Não quero ser rotulada. Não quero mais remédios. Não quero médicos ou professores preocupados. Só Deus sabe como já tive médicos suficientes.

O que me lembro do verão do acidente:

Me apaixonar por Gat na porta da cozinha de Red Gate.

A rosa japonesa que ele pegou para Raquel e minha noite regada a vinho, girando de raiva.

Agir normalmente. Fazer sorvete. Jogar tênis.

Sanduíches de marshmallow de três andares e Gat zangado quando o mandamos calar a boca.

Nadar à noite.

Beijar Gat no sótão.

Ouvir a história da pipoca doce e ajudar meu avô a descer as escadas.

O balanço de pneu, a trilha da costa. Gat e eu abraçados.

Gat me vendo sangrar. Fazendo perguntas. Fazendo curativos nas minhas feridas.

Não me lembro de muito mais.

Posso ver a mão de Mirren, seu esmalte dourado descascado, segurando um galão de gasolina para os barcos.

Minha mãe com o rosto franzido, perguntando: "As pérolas negras?".

Os pés de Johnny correndo pelas escadas de Clairmont até o ancoradouro.

Meu avô, segurando-se em uma árvore, o rosto iluminado pelo brilho de uma fogueira.

E nós, os quatro Mentirosos, rindo a ponto de ficarmos tontos e enjoados. Mas o que era tão engraçado?

O que era, e onde estávamos?

Não sei.

Costumava perguntar à minha mãe quando não me lembrava do resto do verão dos quinze. Meu esquecimento me assustava. Eu sugeria parar com os remédios, tentar outros, outro médico. Implorava para saber o que tinha esquecido. Então, um dia no fim do outono — o outono que passei fazendo exames para doenças fatais —, minha mãe começou a chorar.

—Você me pergunta sem parar. Nunca se lembra do que eu digo.

— Desculpe.

Ela se serviu de uma taça de vinho enquanto falava.

— Começou a perguntar no dia em que acordou no hospital. "O que aconteceu? O que aconteceu?" Contei a verdade, Cadence, sempre contei. E você repetia para mim. Mas, no dia seguinte, perguntava de novo.

— Desculpe — eu disse novamente.

—Você ainda me pergunta quase todos os dias.

É verdade, eu não tenho lembranças do acidente. Não me lembro do que aconteceu antes e depois. Não me lembro das consultas médicas. Sei que devem ter acontecido, porque é claro que aconteceram — e cá estou com um diagnóstico e medicamentos —, mas quase todo o meu tratamento médico é um vazio.

Olhei para minha mãe. Para seu rosto zangado e preocupado, seus olhos molhados, o relaxamento vacilante de sua boca.

—Você precisa parar de perguntar — ela disse. — Os médicos acham mesmo que é melhor você lembrar sozinha.

Obriguei-a a me contar uma última vez e anotei as respostas para poder consultar quando quisesse. É por isso que consigo contar sobre o acidente quando fui nadar à noite, as rochas, a hipotermia, dificuldade respiratória, e o não confirmado traumatismo cranioencefálico.

Nunca mais perguntei nada a ninguém. Tem muita coisa que não entendo, mas assim ela permanece sóbria.

19

MEU PAI PRETENDE ME LEVAR para a Austrália e para a Nova Zelândia durante todo o verão dos dezessete.

Não quero ir.

Quero voltar para Beechwood. Quero ver Mirren e deitar no sol, planejando nosso futuro. Quero brigar com Johnny, ir mergulhar e fazer sorvete. Quero acender fogueiras na praia pequena. Quero que a gente se empilhe na rede da varanda de Clairmont e volte a ser os Mentirosos, se possível.

Quero me lembrar do acidente.

Quero saber por que Gat desapareceu. Não sei por que ele não estava nadando comigo. Não sei por que fui até a praia pequena sozinha. Por que nadei de calcinha e sutiã e não deixei nenhuma roupa na areia. E por que ele foi embora quando me machuquei.

Fico imaginando se ele me amava. Se amava Raquel.

Meu pai e eu vamos viajar para a Austrália em cinco dias.

Eu não devia ter concordado.

Fico lamentando, chorando. Digo à minha mãe que não preciso ver o mundo. Preciso ver minha família. Estou com saudade do meu avô.

Não.

Vou ficar doente se viajar para a Austrália. Minha cabeça vai explodir, eu não devia entrar no avião. Não devia comer nada estranho. Não devia sofrer com jet lag. E se perdermos meus medicamentos?

Pare de discutir. A viagem já está paga.

Saio para passear com os cachorros de manhã. Coloco a louça na máquina e depois guardo. Coloco um vestido e passo blush no rosto. Como tudo o que está no prato. Deixo minha mãe me envolver com os braços e acariciar meu cabelo. Digo que quero passar o verão com ela, não com meu pai.

Por favor.

No dia seguinte, meu avô vem a Burlington e fica no quarto de hóspedes. Estava na ilha desde meados de maio e teve que pegar um barco, um carro e um avião para vir até aqui. Ele não vinha nos visitar desde antes de minha avó Tipper morrer.

Minha mãe vai buscá-lo no aeroporto. Eu fico em casa e arrumo a mesa para o jantar. Ela comprou frango assado e acompanhamentos em uma rotisseria no centro.

Meu avô emagreceu desde a última vez que o vi. O cabelo branco sobressai como nuvens ao redor das orelhas; tufos. Ele parece um passarinho. Sua pele está solta ao redor de sua figura e ele está encurvado e barrigudo, diferente de como eu me lembrava dele. Sempre pareceu invencível, com ombros firmes e largos e muitos dentes.

Meu avô é do tipo de pessoa que tem lemas. "Não aceite *não* como resposta", ele sempre nos dizia. E "Nunca sente nos fundos da sala. Vencedores sentam na frente".

Nós, os Mentirosos, costumávamos revirar os olhos quando ele fazia essas declarações — "Seja resoluto, ninguém gosta de gente evasiva"; "Nunca reclame, nunca explique" —, mas ainda o víamos como alguém cheio de sabedoria em assuntos dos adultos.

Meu avô está de bermuda xadrez e mocassim. Suas pernas são pernas finas de velho. Ele dá um tapinha nas minhas costas e pede um uísque com refrigerante.

Comemos e ele fala sobre alguns de seus amigos de Boston. A nova cozinha de sua casa em Beechwood. Nada importante. Depois, minha mãe arruma tudo enquanto mostro a ele o jardim dos fundos. O sol de fim de tarde ainda está lá.

Meu avô pega uma peônia e a entrega a mim.

— Para minha primeira neta.

— Não arranque as flores, está bem?

— Penny não vai se importar.

— Vai, sim.

— Cadence foi a primeira — ele diz, olhando para o céu, não em meus olhos. — Eu me lembro de quando foi nos visitar em Boston. Vestia um macacão cor-de-rosa e seu cabelo estava arrepiado. Johnny só nasceu três semanas depois.

— Eu estou bem aqui, vô.

— Cadence foi a primeira e não importava que fosse menina. Eu lhe daria tudo. Assim como a um neto homem. Eu a peguei nos braços e dancei. Ela era o futuro da família.

Aceno com a cabeça.

— Dava para ver que ela era uma Sinclair. Tinha aquele cabelo, mas não era só isso. Era o queixo, as mãozinhas. Sabíamos que seria alta. Todos éramos altos até Bess se casar com aquele sujeito baixinho e Carrie cometer o mesmo erro.

— Você quer dizer Brody e William.

— Que bom que nos livramos deles, não é? — Meu avô sorri. — Todo o nosso pessoal era alto. Você sabia que o lado da minha mãe veio no *Mayflower*? Para fazer a vida nos Estados Unidos.

Sei que não é importante nossa família ter vindo no *Mayflower*. Não é importante ser alto. Ou loiro. Foi por isso que tingi o cabelo. Não quero ser a mais velha. Herdeira da ilha, da fortuna e das expectativas.

Mas, também, talvez eu queira.

Meu avô bebeu demais depois de um longo dia de viagem.

—Vamos entrar? — perguntei. — Quer se sentar?

Ele pega uma segunda peônia e a entrega a mim.

— Perdão, minha querida.

Dou um tapinha em suas costas arqueadas.

— Não arranque mais nenhuma, está bem?

Meu avô se abaixa e toca em algumas tulipas brancas.

— Sério, não faça isso — eu digo.

Ele pega uma terceira peônia, de forma abrupta, provocativa. Entrega-a para mim.

—Você é minha Cadence. A primeira.

— Sim.

— O que aconteceu com seu cabelo?

— Eu pintei.

— Nem te reconheci.

— Não faz mal.

Meu avô aponta para as peônias, agora todas na minha mão.

—Três flores para você. Você devia ter três.

Ele parece patético. Parece poderoso.

Eu o amo, mas não sei ao certo se gosto dele. Pego em sua mão e o levo para dentro.

20

ERA UMA VEZ um rei que tinha três lindas filhas. Ele amava muito todas elas. Um dia, quando as jovens estavam em idade de se casar, um terrível dragão de três cabeças dominou o reino, incendiando vilas com seu sopro ardente. Destruiu plantações e queimou igrejas. Matou bebês, idosos e todos que estavam entre um e outro.

O rei prometeu a mão de uma princesa em casamento a quem matasse o dragão. Heróis e guerreiros se apresentaram usando armaduras, montando cavalos corajosos e carregando espadas e flechas.

Um por um, esses homens foram massacrados e devorados.

Finalmente, o rei considerou que uma donzela talvez pudesse derreter o coração do dragão e ser bem-sucedida na missão em que guerreiros haviam fracassado. Ele enviou sua filha mais velha para implorar misericórdia ao dragão, que não escutou nem uma palavra de seus apelos. Engoliu-a inteira.

Então o rei enviou sua segunda filha para implorar misericórdia ao dragão, mas a criatura fez o mesmo. Engoliu-a antes que dissesse uma palavra.

O rei enviou sua filha mais nova para implorar misericórdia ao dragão, e ela era tão adorável e esperta que ele tinha certeza de que seria bem-sucedida, embora as outras tivessem perecido.

De jeito nenhum. O dragão simplesmente a devorou.

O rei ficou sofrendo, arrependido. Estava sozinho no mundo.

Agora, deixe-me perguntar uma coisa: quem matou as garotas? O dragão? Ou o rei?

DEPOIS QUE MEU AVÔ vai embora, no dia seguinte, minha mãe liga para meu pai e cancela a viagem para a Austrália. Há gritaria. Há negociação.

No fim, resolvem que vou passar quatro semanas em Beechwood no verão, depois vou visitar meu pai em sua casa no Colorado, onde nunca estive. Ele insiste. Não vai perder o verão inteiro que passaria comigo, ou vai acionar o advogado.

Minha mãe liga para minhas tias. Tem uma conversa longa e privada com elas na varanda de nossa casa. Não consigo ouvir nada além de algumas frases: Está tão frágil, precisa descansar muito. Só quatro semanas, não o verão inteiro. Nada deve incomodar Cadence, a cura é muito gradual.

E também pinot grigio, Sancerre, talvez um pouco de riesling; nada de chardonnay.

21

MEU QUARTO AGORA está quase vazio. Há lençóis e um edredom na minha cama. Um laptop na escrivaninha, algumas canetas. Uma cadeira.

Tenho algumas calças jeans e alguns shorts. Tenho camisetas e camisas de flanela, alguns suéteres quentes; um biquíni, um par de tênis, um par de Crocs e um par de botas. Dois vestidos e sapatos de salto. Casaco quente, jaqueta de náilon e casaco de lona.

As prateleiras estão vazias. Nenhuma foto, nenhum pôster. Nenhum brinquedo antigo.

*

DOAÇÃO: um kit de escovar os dentes para viagem que minha mãe comprou ontem.

Eu já tenho escova de dentes. Não sei por que ela comprou outra. Essa mulher compra coisas apenas por comprar. É revoltante.

Caminho até a biblioteca e encontro a menina que ficou com meu travesseiro. Ela ainda está encostada no muro. Coloco o kit em seu copo.

DOAÇÃO: jaqueta verde-oliva de Gat. Aquela que usei na noite em que ficamos de mãos dadas olhando as estrelas e conversando sobre Deus. Nunca devolvi.

Devia ter sido a primeira coisa doada. Sei disso. Mas não consegui. Era tudo o que me restava dele.

Fui fraca e idiota. Gat não me ama.

Também não o amo, talvez nunca tenha amado.

Vou vê-lo depois de amanhã e não o amo nem quero sua jaqueta.

22

O TELEFONE TOCA às dez da noite antes de irmos para Beechwood. Minha mãe está no banho. Eu atendo.

Respiração pesada. Depois uma risada.

— Quem é?
— Cady?
É uma criança, eu percebo.
— Sim.
— Aqui é o Taft. — O irmão da Mirren. Ele é mal-educado.
— Por que está acordado a essa hora?
— É verdade que você é viciada em drogas? — Taft me pergunta.
— Não.
— Tem certeza?
— Está ligando para perguntar se sou viciada em drogas? — Eu não falava com Taft desde o acidente.
— Estamos em Beechwood — ele diz. — Chegamos hoje de manhã.
Fico feliz por ele mudar de assunto. Coloco animação na voz.
— Nós vamos amanhã. O tempo está bom? Vocês já foram nadar?
— Não.
— Brincaram no balanço de pneu?
— Não — disse Taft. — Tem certeza de que não é viciada em drogas?
— De onde você tirou essa ideia?
— Bonnie. Ela disse que eu tinha que tomar cuidado com você.
— Não dê ouvidos a Bonnie — eu disse. — Ouça Mirren.
— É isso que estou dizendo. Bonnie é a única que acredita

no que eu falo sobre Cuddledown — ele diz. — Então eu quis ligar para você. Mas não se você for viciada em drogas, porque os viciados em drogas não sabem o que está acontecendo.

— Não sou viciada em drogas, seu pestinha — eu digo, embora talvez estivesse mentindo.

— Cuddledown é mal-assombrada — diz Taft. — Posso ir dormir com você em Windemere?

Eu gosto de Taft. Gosto mesmo. Ele é meio doido e coberto de sardas, e Mirren o ama mais do que ama as gêmeas.

— A casa não é mal-assombrada. É que tem bastante corrente de ar — expliquei. — Em Windemere também. As janelas batem.

— Então Windemere também é mal-assombrada — Taft diz. — Minha mãe não acredita em mim, nem Liberty.

Quando ele era mais novo, era aquele que sempre achava que havia monstros dentro do armário. Mais tarde, convenceu-se de que havia um monstro marinho no cais.

— Peça para Mirren te ajudar — eu digo a ele. — Ela vai ler uma história ou cantar para você na hora de dormir.

— Você acha?

— Claro que sim. E quando eu chegar aí te levo para brincar de esqui-boia e mergulhar. Vai ser um belo verão, Taft.

— Tá bom — ele diz.

— Não fique com medo da velha e idiota Cuddledown — eu digo a ele. — Mostre quem manda e eu te vejo amanhã.

Ele desliga sem se despedir.

PARTE TRÊS
Verão dos dezessete

23

EM WOODS HOLE, a cidade portuária, minha mãe e eu deixamos os cachorros saírem do carro e arrastamos as malas até o cais, onde tia Carrie nos espera.

Ela dá um abraço demorado na minha mãe antes de nos ajudar a colocar as malas e os cães no grande barco a motor.

—Você está mais linda do que nunca — tia Carrie diz. — E que bom que veio.

— Ah, fique quieta — diz minha mãe.

— Sei que andou doente — Carrie diz para mim. Ela é a mais alta das minhas tias, e a mais velha. Seu suéter de caxemira é comprido. As rugas nas laterais da boca são profundas. Está usando joias antigas de jade que pertenceram à minha avó.

— Não tem nada de errado comigo que oxicodona e uns goles de vodca não curem — respondo.

Carrie ri, mas minha mãe se aproxima dela e diz:

— Ela não está tomando oxicodona. Está usando um medicamento que não causa dependência, prescrito pelo médico.

Não é verdade. Os medicamentos que não causam dependência não funcionaram.

— Ela parece magra demais — diz Carrie.

— É por causa da vodca — eu digo. — Tira meu apetite.

— Ela não consegue comer muito quando está com dor — diz minha mãe. — Fica com náusea.

— Bess fez aquela torta de mirtilo que você gosta — me diz tia Carrie. Ela dá outro abraço na minha mãe.

—Vocês estão se abraçando tanto de uma hora para a outra — eu digo. — Nunca foram assim.

Tia Carrie me abraça também. Seu cheiro é de um perfume cítrico caro. Eu não a via fazia muito tempo.

A saída do porto é fria e lampejante. Eu sento na traseira do barco enquanto minha mãe fica ao lado da tia Carrie atrás do timão. Encosto a mão na água. Ela espirra na manga do meu casaco, ensopando a lona.

Logo verei Gat.

Gat, meu Gat, que não é meu Gat.

As casas. Os pequenos, as tias, os Mentirosos.

Ouvirei o som das gaivotas, comerei bolo invertido e torta e sorvete caseiro. Ouvirei o *pongue* das bolas de tênis, o latido dos cachorros, o eco da minha respiração no snorkel. Acenderemos fogueiras com cheiro de cinzas.

Ainda vou me sentir em casa?

Em pouco tempo, Beechwood está diante de nós. Seu contorno familiar se aproxima. A primeira casa que vejo é Windemere com seus telhados pontiagudos. Aquele quarto do lado direito é da minha mãe, com cortinas azul-claras. Minha janela dá para a parte interna da ilha.

Carrie vira o barco e consigo ver Cuddledown no ponto mais baixo do terreno, sua estrutura gorducha e quadrada.

Uma minúscula baía arenosa — a praia pequena — fica no fim de uma longa escadaria de madeira.

A vista muda conforme damos a volta pelo leste da ilha. Não dá para ver Red Gate direito entre as árvores, mas vislumbro o acabamento vermelho. Depois a praia maior, acessada por meio de outra escadaria de madeira.

Clairmont fica no ponto mais alto, com vista para o mar em três direções. Estico o pescoço para olhar para sua simpática torre — mas ela não está lá. As árvores que costumavam fazer sombra no grande e íngreme pátio também se foram. No lugar da casa vitoriana de seis quartos, varanda cercada e cozinha de fazenda, no lugar da casa em que meu avô passou todos os verões desde sempre, vejo uma construção elegante e moderna sobre uma colina rochosa. Há um jardim japonês de um lado, pedras expostas do outro. A casa é vidro e ferro. Fria.

Carrie desliga o motor, facilitando a conversa.

— Aquela é a nova Clairmont — ela diz.

— Era apenas um esqueleto ano passado. Nunca pensei que ele fosse ficar sem um gramado — diz minha mãe.

— Espere até ver lá dentro. As paredes estão vazias e, quando chegamos aqui ontem, não tinha nada na geladeira além de umas maçãs e um pedaço de Havarti.

— Desde quando ele gosta de Havarti? — pergunta minha mãe. — Nem é um bom queijo.

— Ele não sabe fazer compras. Ginny e Lucille, a nova cozinheira, só fazem o que ele manda. Está comendo pão com queijo. Mas eu fiz uma lista enorme e elas foram ao mercado de Edgartown. Agora temos o bastante para alguns dias.

Minha mãe tem um calafrio.

— Que bom que estamos aqui.

Olho para a casa nova enquanto elas conversam. Sabia que meu avô havia reformado a casa, é claro. Ele e minha mãe conversaram sobre a nova cozinha quando foi nos visitar, alguns dias antes. A geladeira e o freezer extra, a estufa e as prateleiras de temperos.

Não havia me dado conta de que ele tinha derrubado a casa. Que o gramado já era. E as árvores, principalmente a velha e gigantesca acerácea com o balanço de pneu. Devia ter uns cem anos.

Uma onda surge, azul-escura, saltando no mar como uma baleia. Forma um arco sobre mim. Os músculos do meu pescoço se contraem, minha garganta fecha. Eu me curvo sob o peso dela. O sangue corre para minha cabeça. Estou me afogando.

Tudo parece tão triste, tão insuportavelmente triste por um instante, pensar na adorável acerácea com o balanço. Nunca dissemos à árvore o quanto a amávamos. Nunca lhe demos um nome, nunca fizemos nada por ela. Podia ter vivido muito mais.

Estou com tanto, tanto frio.

— Cadence? — Minha mãe está debruçada sobre mim.

Encontro sua mão e a agarro.

— Aja como uma pessoa normal — ela sussurra. — Agora mesmo.

— O quê?

— Porque você é. Porque você pode ser.

Está bem. Está bem. Era apenas uma árvore.

Apenas uma árvore com um balanço de pneu de que eu gostava muito.

— Não faça escândalo — sussurra minha mãe. — Respire e endireite-se.

Faço o que ela pede assim que consigo, como sempre.

Tia Carrie nos distrai, falando empolgada.

— O novo jardim é agradável depois que você se acostuma com ele — diz. — Tem uma área com assentos para os drinques. Taft e Will estão encontrando pedras especiais.

Ela vira o barco na direção da praia e de repente consigo ver meus Mentirosos esperando, não no cais, mas junto à cerca de madeira desgastada que acompanha a costa.

Mirren está com os pés na metade de baixo da barreira, acenando com alegria, o cabelo chicoteando ao vento.

Mirren. Ela é açúcar. Ela é curiosidade e chuva.

Johnny pula para cima e para baixo, de vez em quando virando uma estrela.

Johnny. Ele é estalo. Ele é iniciativa e sarcasmo.

Gat, meu Gat, era uma vez meu Gat — ele também saiu para me ver. Está afastado das ripas da cerca, sobre a colina rochosa que agora leva a Clairmont. Está fingindo que é um sinalizador, balançando os braços em padrões elaborados como se eu tivesse que entender algum tipo de código secreto. Ele é contemplação e entusiasmo. Ambição e café forte.

Bem-vinda ao lar, eles estão dizendo. Bem-vinda ao lar.

24

OS MENTIROSOS NÃO VÃO AO CAIS quando chegamos, nem tia Bess e meu avô. Ali estão apenas os pequenos: Will e Taft, Liberty e Bonnie.

Os meninos, ambos com dez anos, chutam um ao outro e brincam de luta. Taft vem correndo e agarra meu braço. Eu o pego e giro. Fico surpresa com sua leveza, como se seu corpo sardento fosse de um passarinho.

— Está se sentindo melhor? — pergunto.

— Tem picolé no freezer! — ele grita. — De três sabores diferentes!

— Estou falando sério, Taft. Você estava perturbado no telefone ontem à noite.

— Não estava.

— Estava, sim.

— Mirren leu uma história para mim. Depois eu dormi. Sem problemas.

Bagunço seu cabelo cor de mel.

— É só uma casa. Muitas casas parecem assustadoras à noite, mas de manhã voltam a ser agradáveis.

— Nem estamos mais ficando em Cuddledown mesmo —Taft diz. — Mudamos para a nova Clairmont, com o vovô.

— Ah, é?

—Temos que ficar comportados lá e não agir como idiotas. Já levamos nossas coisas. E Will pegou três águas-vivas na praia maior e também um caranguejo morto. Você vai lá ver?

— É claro.

— Ele está com o caranguejo no bolso, mas as águas-vivas estão em um balde com água — diz Taft, e depois sai correndo.

MINHA MÃE E EU caminhamos pela ilha até Windemere, uma curta distância pela passagem de madeira. As gêmeas ajudam com as malas.

Meu avô e tia Bess estão na cozinha. Há flores do campo em vasos sobre a bancada, e Bess esfrega a pia limpa com palha de aço enquanto meu avô lê o *Martha's Vineyard Times*.

Bess é mais delicada que as irmãs, e mais loira, mas saiu do mesmo molde. Usa jeans branco, uma blusa de algodão azul-marinho e diamantes. Ela tira as luvas de borracha, beija minha mãe e me dá um abraço longo demais, apertado demais, como se estivesse tentando abraçar uma mensagem profunda e secreta. Ela tem cheiro de água sanitária e vinho.

Meu avô levanta, mas não atravessa o cômodo até Bess terminar o abraço.

— Olá, Mirren — ele diz com jovialidade. — Bom ver você.

— Ele está fazendo isso toda hora — Carrie diz para mim e para minha mãe. — Chama todo mundo de Mirren.

— Sei que ela não é Mirren — meu avô diz.

Os adultos ficam conversando e eu saio com as gêmeas. Elas estão esquisitas de Crocs e vestidos de verão. Já devem ter quase catorze anos. Têm as pernas fortes de Mirren e os olhos azuis, mas o rosto fino.

— Seu cabelo está preto — diz Bonnie. — Você parece uma vampira morta.

— Bonnie! — Liberty dá um tapa nela.

— Bom, é redundante, porque *todos* os vampiros estão mortos — diz Bonnie. — Mas eles têm olheiras escuras e pele branca, como você.

— Seja legal com a Cady — Liberty sussurra. — Mamãe mandou.

— Estou sendo legal — diz Bonnie. — Muitos vampiros são bonitos. É um fato comprovado.

— Eu disse que não queria que você ficasse falando sobre coisas mortas e assustadoras durante o verão — afirma Liberty. — Já foi ruim o bastante ontem à noite. — Ela se vira para mim. — Bonnie está obcecada com a morte. Fica lendo livros sobre isso o tempo todo e depois não consegue dormir. É irritante, porque dormimos no mesmo quarto. — Liberty diz tudo isso sem olhar nos meus olhos.

— Eu estava falando do cabelo da Cady — diz Bonnie.

— Mas não precisava falar que ela parece morta.

— Não faz mal — digo a Bonnie. — Na verdade, não me importo com o que você acha, então está tudo bem.

25

TODO MUNDO VAI para a nova Clairmont, me deixando sozinha com minha mãe em Windemere para desfazer as malas. Deixo a minha de lado e vou procurar os Mentirosos.

De repente, eles estão em cima de mim como cachorrinhos. Mirren me abraça e me gira. Johnny abraça Mirren, Gat abraça Johnny. Estamos todos abraçados, pulando. Depois estamos separados novamente, indo para Cuddledown.

Mirren fala sem parar sobre como está feliz porque Bess e os pequenos vão passar o verão com o vovô. Ele agora precisa ficar com alguém. Fora isso, é impossível ficar perto de Bess e sua compulsão por limpeza. E ainda mais importante: os Mentirosos vão ter Cuddledown só para si. Gat diz que vai fazer um chá, porque é seu novo vício. Johnny o chama de idiota arrogante. Acompanhamos Gat até a cozinha. Ele coloca água para ferver.

É um redemoinho, todos falando ao mesmo tempo, discutindo com alegria, exatamente como nos velhos tempos. Gat quase não olhou para mim, no entanto.

Não consigo parar de olhar para ele.

Ele é tão lindo. Tão Gat. Conheço o arco de seu lábio inferior, a força de seus ombros. O modo como enfia a camisa mais ou menos dentro da calça jeans, como seus sapatos são desgastados no calcanhar, como ele toca a cicatriz que tem na sobrancelha sem nem perceber.

Estou tão zangada. E tão feliz em vê-los.

Ele deve ter seguido com a vida, como qualquer pessoa equilibrada faria. Gat não tinha passado os últimos dois anos em uma carapaça de dor de cabeça e autopiedade. Está saindo com meninas de Nova York que usam sapatilha, levando-as para comer comida chinesa e assistir shows. Se não estiver com Raquel, provavelmente tem uma namorada, ou até mais, no lugar onde mora.

— Seu cabelo mudou — Johnny me diz.

— É.

— Mas você ficou bonita — diz Mirren, com doçura.

— Ela está tão alta — diz Gat, ocupando-se com caixas de chá preto e de jasmim, entre outros. —Você não era tão alta, era, Cady?

— A gente cresce — eu digo. — Não é culpa minha. — Há dois verões, Gat era vários centímetros mais alto do que eu. Agora estamos quase da mesma altura.

— Sou a favor do crescimento — diz Gat, ainda sem olhar na minha cara. — Só não fique mais alta do que eu.

Ele está me paquerando?

Está.

— Johnny sempre me deixa ser o mais alto — Gat continua. — Nunca reclama disso.

— Como se eu tivesse outra opção — resmunga Johnny.

— Ela ainda é nossa Cady — diz Mirren com devoção. — Também devemos estar diferentes para ela.

Mas não estão. Estão iguais. Gat usando uma camiseta verde desbotada de dois verões atrás. Com seu sorriso espontâneo, o modo como se inclina para a frente, o nariz grande.

Johnny com seus ombros largos, vestindo jeans e uma camisa xadrez cor-de-rosa tão velha que as bordas estão esfiapadas; unhas roídas, cabelo curto.

Mirren, como uma pintura pré-rafaelita, aquele queixo quadrado dos Sinclair. Cabelo longo e fios grossos enrolados no alto da cabeça, usando a parte de cima de um biquíni e shorts.

É reconfortante. Eu os amo.

Será que vão se importar com o fato de eu não conseguir me lembrar nem de acontecimentos básicos envolvendo o acidente? Perdi tanta coisa do que fizemos juntos no verão dos quinze. Fico me perguntando se as tias ficaram falando a meu respeito.

Não quero que olhem para mim como se eu estivesse doente. Ou como se minha cabeça não estivesse funcionando.

— Conte da faculdade — diz Johnny. Ele está sentado sobre a bancada da cozinha. — Em qual você vai estudar?

— Nenhuma ainda. — Essa é uma verdade que não posso evitar. Estou surpresa por eles não estarem sabendo.

— O quê?

— Por quê?

— Não terminei a escola. Perdi muita aula depois do acidente.

— Ah, que droga! — grita Johnny. — Isso é terrível. Não pode fazer aulas de recuperação?

— Só se eu não viesse para cá. Além disso, terei mais chances de entrar na faculdade depois de cursar todas as matérias direito.

— O que você vai estudar? — Gat pergunta.

—Vamos falar sobre outra coisa.

— Mas nós queremos saber — diz Mirren. —Todos queremos.

— É sério — eu digo. —Vamos mudar de assunto. Como anda sua vida amorosa, Johnny?

— Uma droga.

Ergo as sobrancelhas.

— Quando se é tão lindo como eu, nunca é tranquilo — ele ironiza.

— Tenho um namorado chamado Drake Loggerhead — afirma Mirren. — Ele entrou na faculdade de Pomona, assim como eu. Tivemos relações sexuais várias vezes, mas sempre com proteção. Ele me dá rosas amarelas toda semana e tem belos músculos.

Johnny cospe o chá. Gat e eu rimos.

— É sério? — Johnny pergunta.

— Sim — responde Mirren. — Qual é a graça?

— Nenhuma. — Johnny sacode a cabeça.

— Estamos saindo há cinco meses — diz Mirren. — Ele está passando o verão em um programa de treinamento ao ar livre, assim vai ter mais músculos da próxima vez que nos encontrarmos!

— Você só pode estar brincando — diz Gat.

— Só um pouco — diz Mirren. — Mas eu o amo.

Aperto a mão dela. Estou feliz porque tem alguém para amar.

— Depois vou perguntar sobre as relações sexuais — eu a alerto.

— Quando os meninos não estiverem aqui eu conto tudo — ela diz.

Deixamos as xícaras de chá na cozinha e descemos para a praia pequena. Tiramos os sapatos e afundamos os dedos na areia. Há conchas minúsculas e afiadas.

— Não vou jantar na nova Clairmont — diz Mirren de maneira conclusiva. — Nem tomar café da manhã. Este ano não.

— Por que não? — pergunto.

— Eu não aguento — ela diz. — As tias. Os pequenos. Vovô. Ele está meio lelé, sabia?

Confirmo com a cabeça.

— É muita gente junta. Só quero ser feliz com vocês, aqui — diz Mirren. — Não vou ficar naquela casa nova e fria. Eles estão bem sem mim.

— Digo o mesmo — diz Johnny.

— Eu também — diz Gat.

Percebo que eles discutiram a ideia antes de eu chegar.

26

MIRREN E JOHNNY entram na água com snorkels e nadadeiras. Nadam à procura de lagostas. Provavelmente só vão encontrar águas-vivas e pequenos caranguejos, mas, mesmo com pouca opção, sempre mergulhamos na praia pequena. Sempre.

Gat fica sentado comigo sobre um cobertor de batique. Observamos os outros em silêncio.

Não sei como falar com ele.

Eu o amo.

Ele se provou um idiota.

Eu não devia amá-lo. Sou burra por ainda amá-lo. Tenho que esquecer isso.

Talvez ele ainda me ache bonita. Mesmo com meu cabelo e as olheiras. Talvez.

Os músculos de suas costas se movimentam sob a camiseta.

A curvatura de seu pescoço, o arco suave de sua orelha. Uma pintinha marrom do lado do pescoço. As lúnulas nas unhas. Eu o absorvo depois de tanto tempo longe.

— Não olhe meus pés de ogro — Gat diz de repente.

— O quê?

— São horrorosos. Um ogro entrou no meu quarto à noite, pegou meus pés normais e me deixou com esses pés horrendos de ogro. — Gat escondeu os pés sob uma toalha para que eu não pudesse vê-los. — Agora você sabe a verdade.

Fico aliviada por conversar sobre banalidades.

— Use sapatos.

— Não vou usar sapatos na praia. — Ele descobre os pés. Parecem normais. — Tenho que agir como se estivesse tudo bem até encontrar aquele ogro. Depois vou matar a criatura e pegar meus pés de volta. Você tem alguma arma?

— Não.

— Fala sério.

— Hum. Tem um atiçador de lareira em Windemere.

— Certo. Assim que o vir, vamos matar o ogro com seu atiçador de lareira.

— Já que insiste.

Eu me deito sobre o cobertor e coloco o braço sobre os olhos. Ficamos em silêncio por um momento.

— Ogros são noturnos — acrescento.

— Cady? — Gat sussurra.

Eu me viro e olho em seus olhos.

— O que foi?

— Achei que não fosse te ver nunca mais.

— O quê?

Ele está tão perto que poderíamos nos beijar.

— Achei que não fosse te ver nunca mais. Depois de tudo o que aconteceu, e quando você não veio no verão passado.

Por que não me escreveu?, sinto vontade de dizer. *Por que não me ligou esse tempo todo?*

Ele toca meu rosto.

— Estou tão feliz por você estar aqui — Gat diz. — Estou tão feliz por ter essa chance.

Não sei o que acontece entre a gente. Não sei mesmo. Ele é tão idiota.

— Me dê a mão — Gat diz.

Não sei se quero.

Mas, ao mesmo tempo, é claro que quero.

Sua pele é quente e arenosa. Entrelaçamos os dedos e fechamos os olhos contra o sol.

Só ficamos ali deitados. De mãos dadas. Ele esfrega o polegar na palma da minha mão, como fez dois verões antes sob as estrelas.

E eu derreto.

27

MEU QUARTO EM WINDEMERE é coberto de painéis de madeira pintados de creme. Há uma colcha verde de retalhos sobre a cama. O tapete é como aqueles feitos de trapo que se vê em pousadas do interior.

Você esteve aqui há dois verões, digo a mim mesma. Neste quarto, todas as noites. Neste quarto, todas as manhãs.

É provável que estivesse lendo, jogando no iPad, escolhendo roupas. Do que se lembra?

Nada.

Belas gravuras de botânica ocupam as paredes, além de algumas obras de minha autoria: uma aquarela da acerácea que costumava ocupar o gramado de Clairmont e dois desenhos feitos com lápis de cor, um da vovó Tipper com seus cachorros, Príncipe Philip e Fatima, e outro do meu pai. Arrasto o cesto de roupas de vime para fora do armário, tiro todas as imagens e as enfio no cesto.

Há uma prateleira cheia de livros, infantojuvenis e de fantasia, que eu gostava de ler alguns anos atrás. Histórias de criança que li centenas de vezes. Pego todos e empilho no corredor.

— Vai doar os livros? Você ama livros — minha mãe diz. Ela está saindo do quarto, usando roupas limpas para o jantar. Batom.

— Podemos doar para alguma biblioteca — eu digo. — Ou para o Exército de Salvação.

Minha mãe se abaixa e folheia os livros.

— Lemos *Vida encantada* juntas, você lembra?

Faço que sim com a cabeça.

— E esse também: *As vidas de Christopher Chant*. Você tinha oito anos. Queria ler tudo, mas ainda não sabia direito, então eu lia para você e para Gat durante horas e horas.

— E Johnny e Mirren?

— Eles não aguentavam ficar parados — disse minha mãe.
— Não quer guardar esses?

Ela estica o braço e toca meu rosto. Eu recuo.

— Quero que tudo tenha um lar melhor — digo a ela.

— Esperava que você se sentisse diferente quando voltássemos para a ilha. Só isso.

—Você se livrou de todas as coisas do papai. Comprou um sofá novo, louça nova, joias novas.

— Cady.

— Não tem nada na casa inteira que diga que ele já morou com a gente, exceto eu. Por que você pode apagar meu pai e eu não posso...?

— Apagar você mesma? — minha mãe diz.

— Outras pessoas podem usar isso — respondo, apontando para a pilha de livros. — Pessoas que realmente precisem. Você não pensa em fazer o bem?

Naquele momento, Poppy, Bosh e Grendel sobem as escadas correndo e ocupam todo o corredor em que estamos, fuçando nossas mãos, abanando os rabos peludos na altura de nossos joelhos.

Minha mãe e eu ficamos em silêncio.

Finalmente, ela diz:

— Não tem problema se você ficar vagando pela praia pequena, ou seja lá o que fez essa tarde. Não tem problema se doar seus livros, já que sente tanta necessidade. Mas eu te espero em Clairmont para o jantar em uma hora, com um sorriso no rosto para seu avô. Sem discussão. Sem desculpa. Entendeu?

Faço que sim.

28

SOBROU UM BLOCO de vários verões atrás, quando eu e Gat ficamos obcecados com papel quadriculado. Fazíamos um desenho atrás do outro, preenchendo os quadradinhos com lápis de cor para fazer retratos pixelados.

Encontro uma caneta e anoto todas as lembranças que tenho do verão dos quinze.

Sanduíches de marshmallow, nadar. O sótão, a interrupção.

A mão de Mirren, com esmalte dourado descascado, segurando um galão de gasolina para os barcos.

Minha mãe com o rosto franzido, perguntando: "As pérolas negras?".

Os pés de Johnny correndo pelas escadas de Clairmont até o ancoradouro.

Meu avô, segurando-se em uma árvore, o rosto iluminado pelo brilho de uma fogueira.

E nós, os quatro Mentirosos, rindo tanto a ponto de ficarmos tontos e enjoados.

Pego uma página separada para o acidente em si. O que minha mãe me disse e o que imagino. Devo ter ido nadar sozinha na praia pequena. Bati a cabeça em uma pedra. Devo ter lutado para voltar à costa. Tia Bess e minha mãe me deram chá. Fui diagnosticada com hipotermia, problemas respiratórios e um traumatismo cranioencefálico que nunca apareceu nas tomografias.

Colo as páginas na parede, acima da minha cama. Acrescento post-its com perguntas.

Por que entrei na água sozinha à noite?

Onde estavam minhas roupas?

Realmente tive traumatismo cranioencefálico nadando, ou aconteceu alguma outra coisa? Alguém poderia ter me golpeado antes? Fui vítima de algum crime?

E o que aconteceu entre mim e Gat? Nós brigamos? Eu o ofendi?

Ele deixou de me amar e voltou para Raquel?

Decido que tudo o que descobrir nas quatro semanas seguintes vai ficar sobre minha cama em Windemere. Vou dormir sob as anotações e as analisar todas as manhãs.

Talvez uma imagem se forme nos quadradinhos.

UMA BRUXA ESTÁ PARADA atrás de mim há algum tempo, esperando um momento de fraqueza. Ela segura a estátua de um ganso em marfim. É minuciosamente esculpida. Eu me viro e a admiro por um instante até que ela balança o objeto com uma força chocante. Ela me acerta, abrindo um buraco na minha testa. Posso sentir o osso se soltar. A bruxa ataca com a estátua mais uma vez e me atinge sobre a orelha direita, esmagando meu crânio. Desfere um golpe atrás do outro, até pequenos flocos de osso espalharem-se sobre a cama e se misturarem com pedacinhos lascados da estátua, antes tão bela.

Encontro meus remédios e apago a luz.

— Cadence? — minha mãe grita do corredor. — O jantar está servido na nova Clairmont.

Não posso ir.

Não posso. Não vou.

Minha mãe promete café para me ajudar a ficar acordada enquanto os medicamentos estão em meu corpo. Diz que faz tempo que as tias não me veem, que os pequenos também são meus primos, afinal. Eu tenho obrigações familiares.

Só consigo sentir a fratura em meu crânio e a dor no meu cérebro. Todo o resto é um pano de fundo desbotado.

Finalmente, ela sai sem mim.

29

TARDE DA NOITE, a casa produz ruídos — exatamente o que estava assustando Taft em Cuddledown. Todas as casas fazem isso por aqui. São antigas, e a ilha é golpeada por ventos marítimos.

Tento voltar a dormir.

Não.

Desço as escadas e vou até a varanda. Minha cabeça parece bem agora.

Tia Carrie está na passagem, na direção contrária de onde estou, usando camisola e um par de botas forradas de pelo. Parece muito magra, com os ossos do peito expostos e as maçãs do rosto fundas.

Vira na passagem de madeira que leva a Red Gate.

Eu me sento, olhando fixamente para ela. Respirando o

ar da noite e escutando as ondas. Alguns minutos depois ela aparece no acesso a Cuddledown novamente.

— Cady — ela diz, parando e cruzando os braços diante do peito. — Está se sentindo melhor?

— Sinto muito por ter perdido o jantar — digo. — Estava com dor de cabeça.

— Tem jantar toda noite, o verão inteiro.

— Não consegue dormir?

— Ah, você sabe. — Carrie coça o pescoço. — Não consigo dormir sem Ed. Não é bobo?

— Não.

— Comecei a caminhar. É um bom exercício. Você viu Johnny?

— Não no meio da noite.

— Às vezes ele levanta junto comigo. Está vendo ele?

— Você pode ver se a luz do quarto dele está acesa.

— Will tem uns pesadelos terríveis — Carrie diz. — Ele acorda gritando e depois não consigo voltar a dormir.

Estremeço em meu moletom.

— Quer uma lanterna? — pergunto. — Tem uma lá dentro.

— Ah, não. Gosto do escuro.

Ela sobe o monte novamente com passos pesados.

30

MINHA MÃE ESTÁ NA COZINHA da nova Clairmont com meu avô. Eu os vejo pelas portas de vidro.

— Acordou cedo — ela diz quando entro. — Está se sentindo melhor?

Meu avô está vestindo um roupão xadrez. Minha mãe usa um vestido de verão decorado com pequenas lagostas. Ela está fazendo café expresso.

— Quer um bolinho? A cozinheira fez bacon também.

— Ela atravessa a cozinha e deixa os cães entrarem em casa. Bosh, Grendel e Poppy abanam o rabo e babam. Minha mãe se abaixa e limpa a pata deles com um pano úmido, depois, distraidamente, limpa o chão onde suas patas enlameadas deixaram marcas. Eles sentam de um jeito desajeitado, gracioso.

— Onde está Fatima? — pergunto. — Onde está Príncipe Philip?

— Eles se foram — diz minha mãe.

— O quê?

— Seja gentil com ela — diz meu avô. Ele se vira para mim. — Eles morreram há algum tempo.

— Os dois?

Meu avô faz que sim com a cabeça.

— Sinto muito. — Eu me sento ao lado dele na mesa. — Eles sofreram?

— Não por muito tempo.

Minha mãe traz um prato de bolinhos de framboesa e um prato de bacon para a mesa. Pego um bolinho e passo manteiga e mel.

— Ela costumava ser loirinha. Uma Sinclair dos pés à cabeça. — Meu avô reclama para minha mãe.

— Falamos sobre meu cabelo quando foi nos visitar — lembro a ele. — Não espero que goste. Avôs nunca gostam de cabelo tingido.

— Você é a mãe. Devia obrigar Mirren a voltar ao cabelo de antes — meu avô diz para minha mãe. — O que aconteceu com as loirinhas que corriam por essa casa?

Minha mãe suspira.

— Nós crescemos, pai — ela diz. — Nós crescemos.

31

DOAÇÕES: desenhos da infância, gravuras de botânica.

Pego meu cesto de roupa suja em Windemere e vou até Cuddledown. Mirren me encontra na varanda, saltitando.

— É tão incrível estar na ilha! — ela diz. — Nem acredito que estou aqui de novo.

— Você esteve aqui no verão passado.

— Não foi a mesma coisa. Não foi o idílio de verão que costumávamos ter. A nova Clairmont estava em obras. Todo mundo estava agindo de forma deprimente e eu fiquei te esperando, mas você não veio.

— Eu te falei que estava indo para a Europa.

— Ah, eu sei.

— Escrevi várias vezes — digo. A frase sai em tom de reprovação.

— Odeio e-mail! — diz Mirren. — Li todos, mas não pode ficar brava comigo por não responder. Parece lição de casa, ficar digitando e olhando para a tela idiota do telefone ou do computador.

—Você recebeu a boneca que eu te mandei?

Mirren me abraça.

— Senti tanto sua falta. Você nem consegue imaginar.

— Eu te mandei aquela Barbie. Aquela de cabelo comprido pela qual costumávamos brigar.

— Princesa Caramelo?

— É.

— Eu era louca pela Princesa Caramelo.

—Você me bateu com ela uma vez.

— Você mereceu! — Mirren saltita alegremente. — Ela está em Windemere?

— O quê? Não. Eu te mandei pelo correio — digo. — Durante o inverno.

Mirren olha para mim com a testa franzida.

— Eu não recebi, Cadence.

— Alguém assinou o recebimento do pacote. O que sua mãe fez? Enfiou em um armário sem abrir?

Estou brincando, mas Mirren faz um gesto de confirmação.

—Talvez. Ela é compulsiva. Tipo, lava as mãos várias vezes. E obriga Taft e as gêmeas a fazer o mesmo. Limpa como se houvesse um lugar especial no céu para pessoas com o piso da cozinha impecável. Ela também bebe muito.

— Minha mãe também.

Mirren concorda.

— Não suporto nem olhar.

— Perdi alguma coisa durante o jantar de ontem?

— Eu não fui. — Mirren segue para a passagem de madeira que vai de Cuddledown à praia pequena. Eu vou atrás. — Falei que nesse verão não iria. Por que você não veio para cá?

— Estava me sentindo mal.

— Sabemos que você tem enxaqueca — diz Mirren. — As tias andaram falando.

Eu me contorço.

— Não sinta pena de mim, está bem? Nunca. Isso me dá arrepios.

—Você não tomou seus remédios ontem à noite?

— Eles me derrubaram.

Chegamos à praia pequena. Nós duas estamos descalças sobre a areia úmida. Mirren toca a concha de um caranguejo morto há tempos.

Quero contar a ela que tenho problemas de memória, que tenho traumatismo cranioencefálico. Quero perguntar tudo que aconteceu no verão dos quinze, obrigá-la a me contar as histórias que minha mãe não quer contar, ou não sabe. Mas lá está Mirren, radiante. Não quero que ela sinta ainda mais pena de mim.

Além disso, ainda estou zangada pelos e-mails que não respondeu — e pela perda daquela Barbie idiota, embora não tenha certeza de que a culpa tenha sido dela.

— Johnny e Gat estão em Red Gate ou dormiram em Cuddledown? — pergunto.

— Cuddledown. Minha nossa, como eles são relaxados. É como morar com duendes.

— Obrigue os dois a voltar para Red Gate, então.

— De jeito nenhum. — Mirren ri. — E quanto a você, nada de Windemere, está bem? Vai ficar com a gente?

Faço que não com a cabeça.

— Minha mãe não deixou. Pedi hoje de manhã.

— Como assim? Ela precisa deixar!

— Ela não sai do meu pé desde que fiquei doente.

— Mas já se passaram quase dois anos.

— É. Ela fica me olhando enquanto durmo. Além disso, me deu um sermão sobre passar um tempo com vovô e com os pequenos. Tenho que me conectar com a família. Colocar um sorriso no rosto.

— Quanta bobagem. — Mirren me mostra um punhado de pedrinhas roxas que coletou. — Pegue.

— Não, obrigada. — Não quero nada de que não precise.

— Por favor, fique com elas — diz Mirren. — Eu lembro que você sempre procurava pedras roxas quando éramos pequenas. — Ela estica a mão na minha direção, com a palma para cima. — Quero compensar pela Princesa Caramelo. — Há lágrimas em seus olhos. — E pelos e-mails — acrescenta. — Quero te dar alguma coisa, Cady.

— Então tudo bem — digo. Faço uma concha com as mãos e deixo Mirren despejar as pedras. Guardo-as no bolso da frente do moletom.

— Eu te amo! — ela grita, depois se vira e grita para o mar. — Eu amo minha prima Cadence Sinclair Eastman!

— Não está exagerando? — É Johnny, descendo os degraus com os pés descalços, vestindo pijamas velhos de flanela com listras grossas. Está usando óculos escuros e protetor solar branco no nariz, como um salva-vidas.

Mirren fecha a cara, mas apenas por um instante.

— Estou expressando meus sentimentos, Johnny. É assim que fazem os seres humanos que vivem e respiram. Não sabia?

— Está bem, ser humano que vive e respira — ele diz, batendo de leve no ombro dela. — Mas não precisa ser tão barulhenta a essa hora da manhã. Temos o verão inteiro pela frente.

Ela faz beicinho.

— Cady só vai ficar quatro semanas.

— Não posso brigar com vocês tão cedo — diz Johnny. — Ainda não tomei meu chá arrogante. — Ele se abaixa e olha dentro do cesto de roupa suja que está aos meus pés. — O que tem aí?

— Gravuras de botânica e uns desenhos antigos.

— Por quê?

Johnny senta sobre uma pedra e eu me acomodo ao lado dele.

— Estou doando minhas coisas — digo. — Desde setembro. Lembra que eu te mandei o cachecol listrado?

— Ah, sim.

Falo sobre dar as coisas para pessoas que possam usá-las, encontrando o lar certo para elas. Falo sobre caridade e sobre questionar o materialismo da minha mãe.

Quero que Johnny e Mirren me entendam. Não sou alguém digna de pena, com uma mente instável e estranhas crises de dor. Estou assumindo o controle da minha vida. Vivo de acordo com meus princípios. Tomo atitudes e faço sacrifícios.

—Você não quer, sei lá, ter coisas? — Johnny me pergunta.

— Como o quê?

— Ah, eu quero coisas o tempo todo — diz Johnny, abrindo bem os braços. — Um carro. Jogos de videogame. Casacos de lã caros. Gosto de relógios, eles são tão retrô. Quero arte de verdade para as paredes, obras de pessoas famosas que nunca poderia ter, nem em um milhão de anos. Bolos elaborados que vejo na vitrine das confeitarias. Suéteres, cachecóis. Coisas de lã com listras, em geral.

— Ou você poderia querer lindos desenhos que fez quando era criança — afirma Mirren, ajoelhando ao lado do cesto de roupa suja. — Recordações. — Ela pega o desenho da minha vó com os cachorros feito com lápis de cor. — Veja, essa é a Fatima e esse é Príncipe Philip.

—Você sabe a diferença?

— É claro. Fatima tinha o focinho gorducho e a cara mais larga.

— Minha nossa, Mirren. Você é tão sentimental — Johnny diz.

32

GAT CHAMA MEU NOME quando estou subindo para a passagem que leva à nova Clairmont. Eu me viro e ele está correndo na minha direção, usando calça de pijama azul, sem camisa.

Gat. Meu Gat.

Ele vai ser meu Gat?

Para na minha frente, ofegante. O cabelo está arrepiado, amassado do travesseiro. Os músculos do abdome são torneados e ele parece muito mais nu do que se estivesse de sunga.

— Johnny disse que você estava na praia pequena — ele ofega. — Fui te procurar lá primeiro.

—Você acabou de acordar?

Gat esfrega a nuca. Olha para o que está vestindo.

— Mais ou menos. Queria alcançar você.

— Para quê?

—Vamos até a costa.

Andamos até lá como fazíamos quando crianças. Gat na minha frente e eu atrás. Subimos um morro baixo, depois fazemos a curva na casa dos empregados, seguindo para onde o porto de Vineyard fica visível, perto do ancoradouro.

Gat se vira tão de repente que quase trombo com ele. Antes que eu consiga recuar, seus braços estão ao meu redor. Ele me puxa para junto de seu peito e enterra o rosto em meu pescoço. Passo meus braços descobertos em volta de seu torso, a parte interna dos pulsos contra sua coluna. Ele está quente.

— Não pude te abraçar ontem — Gat sussurra. — Todo mundo te abraçou, menos eu.

Tocá-lo é algo conhecido e desconhecido.

Já estivemos aqui antes.

E também nunca estivemos aqui antes.

Por um instante,

ou por minutos,

por horas, possivelmente,

estou simplesmente feliz, aqui, com o corpo de Gat sob minhas mãos. O som das ondas e de sua respiração em meu ouvido. Contente por ele querer estar perto de mim.

— Você se lembra de quando viemos aqui juntos? — ele pergunta com a boca em meu pescoço. — Quando fomos até aquela pedra lisa?

Eu me afasto. Porque não lembro.

Odeio a porra da minha mente retalhada, o fato de estar doente o tempo todo, o quanto fiquei debilitada. Odeio ter perdido minha beleza, repetido de ano na escola, deixado de praticar esportes e passado a ser cruel com minha mãe. Odeio o quanto ainda o quero depois de dois anos.

Talvez Gat queira ficar comigo. Talvez. Mas é mais provável que só esteja me procurando para dizer que não fez nada de errado quando me deixou há dois verões. Ele quer que eu diga que não estou brava. Que ele é um cara ótimo.

Mas como posso perdoá-lo se nem sei exatamente o que ele fez?

— Não — respondo. — Devo ter apagado da minha mente.

— Nós, você e eu, nós. Foi um momento importante.

— De qualquer jeito, não lembro — digo. — E, é claro, nada que tenha acontecido entre nós foi muito importante no fim das contas, não é?

Ele olha para as próprias mãos.

— Certo. Sinto muito. Isso foi bem abaixo do padrão. Você está zangada?

— É claro que estou zangada — eu digo. — Dois anos sumido. Sem ligar nem escrever de volta e piorando tudo me ignorando. Agora você vem com essa de "Oh, achei que nunca mais fosse te ver", e fica pegando na minha mão, e "Todo mundo te abraça menos eu", e caminhadas seminuas pela costa. É abaixo do padrão *demais*, Gat. Se você quer falar nesses termos.

Ele fecha a cara.

— Parece terrível quando você diz dessa forma.

— É, bem, é assim que eu vejo.

Ele passa a mão no cabelo.

— Estou fazendo tudo errado — ele diz. — O que me diria se eu pedisse para começar de novo?

— Minha nossa, Gat.

— O quê?

— *Peça* de uma vez. Não pergunte o que eu diria se você *pedisse*.

— Está bem, estou pedindo. Podemos começar de novo? Por favor, Cady? Vamos começar de novo depois do almoço. Vai ser incrível. Vou fazer comentários divertidos e você vai rir. Vamos sair para caçar ogros. Vamos ficar felizes quando nos encontrarmos. Você vai achar que sou ótimo, prometo.

— É uma promessa e tanto.

— Certo, talvez não ótimo, mas pelo menos não abaixo do padrão.

— Por que falar assim? Por que não dizer o que você realmente é? Insensível, enganador, manipulador?

— Meu deus. — Gat fica pulando de agitação. — Cadence! Eu realmente preciso recomeçar do zero. Isso está passando de "abaixo do padrão" a "uma completa droga". — Ele pula e fica chutando como um garotinho zangado. Os pulos me fazem sorrir.

— Está bem — digo a ele. — Vamos começar de novo. Depois do almoço.

— Certo — ele diz, e para de pular. — Depois do almoço.

Ficamos nos encarando por um instante.

— Vou sair correndo agora — diz Gat. — Não leve para o lado pessoal.

— Tudo bem.

— É melhor para o recomeço se eu correr. Porque andar vai ser estranho.

— Eu disse que tudo bem.

— Tudo bem então.

E ele sai correndo.

33

VOU ALMOÇAR na nova Clairmont uma hora depois. Sei que minha mãe não vai tolerar minha ausência depois de ter perdido o jantar da noite anterior. Meu avô me mostra a casa enquanto a cozinheira prepara a comida e as tias reúnem os pequenos.

É um lugar elegante. Piso de madeira brilhante, janelas enormes, tudo em linhas retas. Os corredores de Clairmont costumavam ser decorados do chão ao teto com fotografias de família em preto e branco, pinturas de cachorros, estantes, e a coleção de cartuns da *New Yorker* do meu avô. Os corredores da nova Clairmont são vidro de um lado e vazio do outro.

Meu avô abre as portas dos quatro quartos de hóspedes no andar de cima. Todos estão mobiliados apenas com camas e cômodas baixas e largas. As janelas têm cortinas brancas que deixam entrar um pouco de luz. Não há estampa nas colchas; são apenas em tons refinados de azul ou marrom.

O quarto dos pequenos tem alguma vida. Taft tem jogos no chão, uma bola de futebol, livros sobre bruxos e órfãos. Liberty e Bonnie trouxeram revistas e um tocador de MP3. Tem pilhas dos livros de Bonnie sobre caçadores de fantasmas, médiuns e anjos perigosos. A cômoda está lotada de maquiagem e frascos de perfume. Há raquetes de tênis no canto.

O quarto do meu avô é maior que os outros e tem a melhor vista. Ele me leva até lá e me mostra o banheiro, cujo chuveiro tem barras de apoio. Barras para velhos, para ele não cair.

— Onde estão seus cartuns da *New Yorker*? — pergunto.

— O decorador tomou algumas decisões.

— E as almofadas?

— O quê?

— Vocês tinham aquelas almofadas. Com cães bordados.

Ele sacode a cabeça.

— Você ficou com o peixe?

— O quê? O peixe-espada e tudo aquilo? — Descemos a escadaria até o andar térreo. Meu avô se movimenta com lentidão e eu ando atrás dele. — Comecei de novo com essa casa — ele diz simplesmente. — A antiga vida se foi.

Ele abre a porta do escritório. Tem a mesma seriedade do resto da casa. Há um laptop no meio da mesa. Uma janela grande dá para o jardim japonês. Uma cadeira. Uma parede com prateleiras completamente vazias.

Parece sóbrio e aberto, mas não é modesto, porque tudo é opulento.

Meu avô é mais parecido com minha mãe do que comigo. Ele apagou a antiga vida gastando dinheiro em outra para substituí-la.

— Onde está aquele jovem? — meu avô pergunta de repente. Seu rosto assume uma expressão vaga.

— Johnny?

Ele sacode a cabeça.

— Não, não.

— Gat?

— Sim, aquele jovem. — Ele se segura na mesa por um instante, como se sentisse tontura.

—Você está bem?

—Ah, estou.

— Gat está em Cuddledown com Mirren e Johnny — digo a ele.

— Prometi um livro a ele.

— A maioria dos seus livros não está aqui.

— Pare de me dizer o que não está aqui! — meu avô grita com um vigor repentino.

—Você está bem? — pergunta tia Carrie da porta do escritório.

— Estou — ele diz.

Carrie me olha de um jeito estranho e pega no braço do meu avô.

—Vamos. O almoço está pronto.

—Você voltou a dormir? — pergunto a minha tia no caminho para a cozinha. — Ontem à noite... Johnny estava acordado?

— Não sei do que está falando — ela diz.

34

A COZINHEIRA DO MEU AVÔ faz as compras e prepara os alimentos, mas as tias planejam todas as refeições. Hoje comemos frango assado, salada de tomate com manjericão, queijo camembert, pão e limonada na sala de jantar. Liberty me mostra fotos de meninos bonitos em uma revista. Depois me mostra fotos de roupas em outra. Bonnie lê um livro chamado *Aparições coletivas: Fato e ficção*. Taft e Will querem que eu os leve para brincar de esqui-boia, ou seja, que dirija o pequeno barco a motor rebocando uma boia com os dois dentro.

Minha mãe diz que não posso dirigir o barco enquanto estiver tomando remédio.

Tia Carrie diz que não importa, porque Will não vai brincar de esqui-boia de jeito nenhum.

Tia Bess diz que concorda, então é melhor Taft nem pensar em pedir a ela.

Liberty e Bonnie perguntam se *elas* podem ir.

—Você sempre deixou Mirren ir — diz Liberty. — Sabe que é verdade.

Will derruba a limonada e encharca um pão.

As pernas do meu avô ficam molhadas.

Taft pega o pão molhado e acerta Will com ele.

Minha mãe limpa a sujeira enquanto Bess corre ao andar de cima para pegar uma calça seca para meu avô.

Carrie repreende os meninos.

Quando a refeição termina, Taft e Will correm para a sala para não ter de ajudar a limpar. Pulam como lunáticos sobre o novo sofá de couro do meu avô. Vou junto.

Will é nanico e rosado, como Johnny. Cabelo loiro quase branco. Taft é mais alto e muito magro, dourado e sardento, com cílios longos e escuros e aparelho nos dentes.

— E, então, vocês dois — digo. — Como foi o verão passado?

— Sabe como conseguir um dragão de cinzas no *Dragon-Vale*? — pergunta Will.

— Eu sei como conseguir um dragão de fogo — diz Taft.

—Você pode usar o dragão de fogo para conseguir o dragão de cinzas — diz Will.

Argh. Meninos de dez anos.

— Vamos. Verão passado — eu digo. — Contem. Vocês jogaram tênis?

— Claro — diz Will.

—Vocês nadaram?

— Sim — diz Taft.

— Foram andar de barco com Gat e Johnny?

Os dois param de pular.

— Não.

— Gat falou alguma coisa sobre mim?

— Não posso falar sobre você ter ido parar na água e tudo mais — diz Will. — Prometi a tia Penny que não falaria.

— Por que não? — pergunto.

— Vai piorar suas dores de cabeça e temos que esquecer esse assunto.

Taft confirma.

— Ela disse que, se fizéssemos suas dores de cabeça piorarem, ia nos pendurar pelas unhas do pé e tirar nossos iPads. Devemos ser divertidos e não idiotas.

— Não estamos falando do acidente — eu digo. — Estamos falando do verão em que fui para a Europa.

— Cady? — Taft toca em meu ombro. — Bonnie viu comprimidos no seu quarto.

Will se afasta e senta no braço na outra ponta do sofá.

— Bonnie mexeu nas minhas coisas?

— E Liberty.

— Céus.

— Você me disse que não era viciada em drogas, mas guarda comprimidos na cômoda. — Taft estava sendo petulante.

— Falem para elas ficarem longe do meu quarto — eu digo.

— Se você é viciada em drogas — diz Taft —, tem algo que precisa saber.

— O quê?

— Drogas não são amigas. — Taft parece sério. — Drogas não são amigas, e as *pessoas* deviam ser suas amigas.

— Ai, meu Deus. Você não pode simplesmente me dizer o que fez no verão passado, seu pestinha?

Will diz:

— Taft e eu queremos jogar *Angry Birds*. Não queremos mais falar com você.

— Tanto faz — digo. — Façam o que quiserem.

Saio na varanda e vejo os meninos correndo pela passagem que leva a Red Gate.

35

TODAS AS JANELAS DE CUDDLEDOWN estão abertas quando desço depois do almoço. Gat está colocando música para tocar no som antigo. Meus velhos desenhos de lápis de cor estão presos com ímãs na geladeira: meu pai no alto, minha avó com os cachorros embaixo. Minha pintura está colada com fita adesiva em um dos armários da cozinha. Há uma escada e uma caixa grande com papéis de presente no centro da sala.

Mirren empurra uma poltrona pelo chão.

— Nunca gostei do jeito que minha mãe arrumava esse lugar — ela explica.

Ajudo Gat e Johnny a mudar os móveis de lugar até Mirren ficar satisfeita. Tiramos as aquarelas de paisagens de Bess e enrolamos os tapetes. Pilhamos o quarto dos pequenos em busca de objetos divertidos. Quando terminamos, a sala está decorada com cofres de porquinho e colchas de retalho, pilhas de livros infantis, uma luminária em forma de coruja. Fitas grossas e brilhantes da caixa de papéis de presente cruzam o teto.

— Bess não vai ficar zangada por você estar redecorando a casa? — pergunto.

— Prometo que ela não vai colocar os pés em Cuddledown pelo resto do verão. Está tentando sair desse lugar há anos.

— Do que está falando?

— Ah — diz Mirren sutilmente —, você sabe. Blá-blá-blá, filha menos querida, blá-blá-blá, a cozinha é uma porcaria, por que o vovô não manda reformar?, e por aí vai.

— Ela pediu para ele?

Johnny ficou me olhando de um jeito estranho.

— Você não lembra?

— Ela perdeu a memória, Johnny! — grita Mirren. — Ela não se lembra, tipo... de metade do verão dos quinze.

— Não? — Johnny diz. — Eu pensei...

— Não, não, cala a boca agora mesmo. — Mirren o repreende. — Você não prestou atenção no que eu disse?

— Quando? — Ele pareceu perplexo.

— Aquela noite — diz Mirren. — Eu te contei o que tia Penny disse.

— Relaxa — diz Johnny, jogando uma almofada nela.

— Isso é importante! Como pode não prestar atenção nessas coisas? — Mirren parece prestes a chorar.

— Desculpe, está bem? — Johnny diz. — Gat, você sabia que a Cadence não se lembra, tipo, da maior parte do verão dos quinze?

— Sabia — ele responde.

— Está vendo? — diz Mirren. — Gat ouve.

Meu rosto está quente. Olho para o chão. Ninguém fala por um minuto.

— É normal perder parte da memória quando se bate a cabeça com muita força — digo finalmente. — Minha mãe explicou?

Johnny ri de nervoso.

— Fico surpresa por minha mãe ter contado — eu continuo. — Ela odeia falar sobre isso.

— Ela disse que você devia ir com calma e se lembrar das coisas no seu próprio ritmo. Todas as tias sabem — diz Mirren. — Vovô sabe. Os pequenos. Os empregados. Todas as pessoas dessa ilha, menos Johnny, parece.

— Eu sabia — diz Johnny. — Só não sabia da história inteira.

— Não seja desagradável — diz Mirren. — Não é hora para isso.

— Tudo bem — digo a Johnny. — Você não é desagradável. Só teve um momento abaixo do padrão. Tenho certeza de que será ótimo de agora em diante.

— Eu sempre sou ótimo — diz Johnny. — Só não sou tão ótimo quanto Mirren quer que eu seja.

Gat sorri quando eu uso "abaixo do padrão" e dá um tapinha em meu ombro.

Começamos de novo.

36

JOGAMOS TÊNIS. Johnny e eu ganhamos, mas não porque ainda sou boa. Ele é um atleta excelente, e Mirren está mais inclinada a acertar a bola e fazer dancinhas felizes, sem se preocupar se alguém vai rebater. Gat fica rindo dela, o que o faz errar.

— Como foi a viagem para a Europa? — Gat pergunta no caminho de volta para Cuddledown.

— Meu pai comeu tinta de lula.

— O que mais? — Chegamos ao jardim e jogamos as raquetes na varanda. Esticamo-nos sobre a grama.

— Sinceramente, não tenho muita coisa para contar — digo. — Sabe o que eu fiz enquanto meu pai visitava o Coliseu?

— O quê?

— Deitei com o rosto encostado nos ladrilhos do banheiro do hotel. Fiquei olhando fixamente para a base azul do vaso sanitário italiano.

— O vaso era azul? — Johnny pergunta, sentando.

— Só *você* para ficar mais empolgada com um vaso sanitário azul do que com os monumentos de Roma — resmunga Gat.

— Cadence — diz Mirren.

— O quê?

— Deixa pra lá.

— O quê?

— Você disse para não sentir pena de você, mas aí conta

uma história sobre o vaso sanitário — ela diz sem pensar. — É de dar pena. O que devemos dizer?

— Além disso, ir para Roma nos deixa com inveja — diz Gat. — Nunca fomos para Roma.

— Eu quero ir para Roma! — diz Johnny, voltando a se deitar. — Quero muito ver os vasos azuis!

— Quero ver as Termas de Caracalla — diz Gat. — E experimentar todos os sabores de sorvete que eles fazem.

— Então vá — digo.

— Não é tão simples assim.

— Certo, mas você vai — eu afirmo. — Na faculdade ou depois da faculdade.

Gat suspira.

— Só estou dizendo… você foi para Roma!

— Queria que você tivesse ido junto — digo a ele.

37

— VOCÊ ESTAVA NA QUADRA de tênis? — Minha mãe me pergunta. — Ouvi o barulho das bolas.

— Só passando o tempo.

—Você não joga há tanto tempo… Isso é maravilhoso.

— Meu saque está ruim.

— Estou tão feliz por você estar retomando as atividades. Se quiser jogar comigo amanhã, é só dizer.

Ela está se iludindo. Não estou retomando o tênis só porque joguei uma única tarde e de jeito nenhum vou querer jogar com ela. Minha mãe ia usar uma saia de tênis e me elogiar e me pedir para tomar cuidado e ficar no meu pé até eu ser grossa com ela.

—Vamos ver — digo. —Acho que distendi o ombro.

O jantar é servido ao ar livre, no jardim japonês. Observamos o pôr do sol às oito, em grupos ao redor de pequenas mesas. Taft e Will pegam costeletas de porco da bandeja e comem com as mãos.

—Vocês são animais — diz Liberty, franzindo o nariz.

— E com isso você quer dizer que...? — pergunta Taft.

— Existe uma coisa chamada garfo — diz Liberty.

— E existe uma coisa chamada *sua cara* — diz Taft.

Johnny, Gat e Mirren podem comer em Cuddledown porque não estão doentes. E suas mães não são controladoras. Minha mãe nem me deixa sentar com os adultos. Ela me obriga a sentar em uma mesa separada com meus primos.

Estão todos rindo e discutindo uns com os outros, falando de boca cheia. Paro de escutar o que estão dizendo. Em vez disso, olho para minha mãe, Carrie e Bess amontoadas ao redor do meu avô.

AGORA ME LEMBRO de uma noite. Deve ter sido umas duas semanas antes do acidente. No início de julho. Estávamos todos sentados à longa mesa no gramado de Clairmont. Velas de citronela queimavam na varanda. Os pequenos tinham terminado de comer seus hambúrgueres e estavam virando estrelas no gramado. Nós estávamos comendo peixe-espada grelhado com molho de manjericão. Tinha uma salada de tomates amarelos e uma travessa de abobrinha gratinada. Gat pressionou a perna junto à minha debaixo da mesa. Fiquei meio tonta de felicidade.

As tias brincavam com a comida, quietas e formais umas com as outras apesar dos gritos dos pequenos. Meu avô recostou na cadeira, entrelaçando as mãos sobre a barriga.

— Vocês acham que devo reformar a casa de Boston? — ele perguntou.

Um silêncio se seguiu.

— Não, pai. — Bess foi a primeira a falar. — Amamos aquela casa.

— Você sempre reclama da corrente de ar na sala — disse meu avô.

Bess olhou para as irmãs.

— Não reclamo.

— Você não gosta da decoração — disse meu avô.

— Isso é verdade. — A voz da minha mãe era crítica.

— Eu acho que é atemporal — disse Carrie.

— Você poderia me dar algumas sugestões, sabe... — meu avô disse a Bess. — Poderia ir até lá olhar com calma? Dizer o que acha?

— Eu...

Ele se aproximou.

— Eu também posso vender, sabe?

Todos sabíamos que tia Bess queria a casa de Boston. Todas as tias queriam a casa de Boston. Era uma casa de quatro milhões de dólares, e tinham crescido nela. Mas Bess era a única que morava lá perto, e a única com filhos o suficiente para encher os quartos.

— Pai — Carrie disse com severidade. — Não pode vender a casa.

— Posso fazer o que quiser — disse meu avô, espetando o último tomate de seu prato e o enfiando na boca. — Você gosta da casa do jeito que está, Bess? Ou quer vê-la reformada? Ninguém gosta de gente evasiva.

— Adoraria ajudar com tudo o que quiser mudar, pai.

— Ah, faça-me o favor — retrucou minha mãe. — Ontem mesmo você estava falando do quanto estava ocupada e agora vai ajudar a reformar a casa de Boston?

— Ele pediu nossa ajuda — disse Bess.

— Ele pediu *sua* ajuda. Está nos excluindo, pai?

Minha mãe estava bêbada. Meu avô riu.

— Penny, relaxe.

—Vou relaxar quando a herança estiver definida.

—Você está nos enlouquecendo — Carrie resmungou.

— O que disse? Não murmure.

— Nós todas te amamos, pai — disse Carrie em voz alta. — Sei que esse ano está sendo difícil.

— Se estão enlouquecendo, é por escolha de vocês mesmas — disse meu avô. — Recomponham-se. Não posso deixar a herança para pessoas loucas.

VEJO AS TIAS AGORA, no verão dos dezessete. Aqui, no jardim japonês da nova Clairmont, minha mãe abraça Bess, que estende o braço para cortar uma fatia de torta de framboesa para Carrie.

É uma linda noite, e somos de fato uma linda família.

Não sei o que mudou.

38

— TAFT TEM UM LEMA — digo a Mirren. É meia-noite. Nós, os Mentirosos, estamos jogando Scrabble na sala de Cuddledown.

Meu joelho está encostando na coxa de Gat, mas não sei se ele percebeu. O tabuleiro está quase cheio. Meu cérebro está cansado. Tenho letras ruins.

Mirren reorganiza suas peças sem muita atenção.

— Taft tem o quê?

— Um lema — digo. — Como o vovô, sabe? Ninguém gosta de gente evasiva?

— Nunca sente nos fundos da sala — Mirren entoa.

— Nunca reclame, nunca explique — diz Gat. — Esse é de Disraeli, eu acho.

— Ah, ele adora esse — diz Mirren.

— E não aceite *não* como resposta — acrescento.

— Minha nossa, Cady! — grita Johnny. — Não pode simplesmente formar uma palavra e deixar a gente continuar o jogo?

— Não grite com ela, Johnny — diz Mirren.

— Desculpe — diz Johnny. — Você pode, por favorzinho

com açúcar mascavo e canela, formar uma porra de uma palavra no Scrabble?

Meu joelho está encostando na coxa de Gat. Realmente não consigo pensar. Formei uma palavra curta e idiota.

Johnny joga suas peças.

— Drogas não são amigas — eu anuncio. — É esse o lema do Taft.

— Não acredito — Mirren ri. — De onde ele tirou isso?

— Talvez esteja aprendendo sobre drogas na escola. Além disso, as gêmeas xeretaram meu quarto e contaram a ele que eu tinha uma cômoda cheia de comprimidos, então ele quis se certificar de que eu não era viciada.

— Meu Deus — exclamou Mirren. — Bonnie e Liberty são um desastre. Acho que agora são cleptomaníacas.

— Sério?

— Elas pegaram os remédios para dormir da minha mãe e seus brincos de argola de diamante. Não tenho ideia de onde acham que vão usar aqueles brincos sem que ela veja. Além disso, são duas e só têm um par.

—Você falou com elas sobre isso?

— Tentei com Bonnie. Mas elas estão além de qualquer ajuda que eu possa dar — Mirren afirma e volta a reorganizar as peças. — Eu *gosto* da ideia de um lema — continua. — Acho que uma citação inspiradora pode ajudar nos momentos difíceis.

— Como o quê? — pergunta Gat.

Mirren para. Depois diz:

— Seja um pouco mais gentil do que precisa ser.

Ficamos todos em silêncio depois disso. Parece impossível discordar.

Então Johnny diz:

— Nunca coma nada maior do que sua bunda.

— Você já comeu algo maior do que sua bunda? — pergunto.

Ele confirma com seriedade.

— Certo, Gat — diz Mirren. — Qual é o seu?

— Não tenho nenhum.

— Ah, vamos.

— Certo, talvez — Gat fica olhando para as unhas. — Não aceite um mal que você possa mudar.

— Concordo com isso — digo, porque concordo.

— Eu não — diz Mirren.

— Por que não?

— Há muito pouca coisa que se pode mudar. É preciso aceitar o mundo como ele é.

— Não é verdade — diz Gat.

— Não é melhor ser uma pessoa relaxada e tranquila? — Mirren pergunta.

— Não. — Gat é conclusivo. — É melhor combater o mal.

— Não coma neve amarela — diz Johnny. — É outro bom lema.

— Sempre faça aquilo que teme — eu digo. — Esse é o meu.

— Ah, faça-me o favor. Quem diz isso? — grita Mirren.

— Emerson — respondo. — Eu acho. — Pego uma caneta e escrevo isso no dorso das mãos.

Esquerda: *Sempre faça*. Direita: *aquilo que teme*. A letra sai torta na direita.

— Emerson é tão chato — diz Johnny. Ele pega a caneta que está comigo e escreve em sua própria mão esquerda: NADA DE NEVE AMARELA. — Aqui está — ele diz, exibindo o resultado. — Isso deve ajudar.

— Cady, estou falando sério. Não devemos fazer *sempre* aquilo que tememos — diz Mirren de maneira fervorosa. — Nunca devemos.

— Por que não?

—Você pode morrer. Você pode se ferir. Se está com muito medo, é provável que exista um bom motivo para isso. Você tem que confiar nos próprios instintos.

— Então qual é a sua filosofia? — Johnny pergunta a ela.

— Seja um grande covarde?

— Sim — responde Mirren. — Isso e aquela coisa da gentileza que eu falei antes.

39

VOU ATRÁS DE GAT quando ele sobe. Eu o sigo pelo longo corredor, pego em sua mão e trago seus lábios para os meus.

É o que temo fazer, e faço.

Ele retribui o beijo. Seus dedos se entrelaçam nos meus e eu fico tonta e ele me levanta e tudo fica claro e tudo é sublime de novo. Nosso beijo transforma o mundo em poeira. Só nós existimos e nada mais importa.

Então Gat se afasta.

— Eu não devia fazer isso.

— Por que não? — A mão dele ainda segura a minha.

— Não é que eu não queira, é que...

—Achei que íamos começar de novo. Isso não é começar de novo?

— Estou confuso. — Gat recua e se encosta na parede. — Essa conversa é tão clichê. Não sei mais o que dizer.

— Explique.

Uma pausa. E depois:

—Você não me conhece.

— Explique — digo novamente.

Gat coloca a cabeça entre as mãos. Ficamos lá parados, ambos encostados na parede, no escuro.

— Certo. Aqui vai uma parte — ele finalmente sussurra. —Você não conhece minha mãe.Você nunca foi ao meu apartamento.

Isso é verdade. Nunca vi Gat em nenhum outro lugar além de Beechwood.

—Você sente que me conhece, Cady, mas só conhece a versão que vem para cá — ele diz. — Não é... Simplesmente não é tudo. Não conhece meu quarto com a janela sobre o duto de ventilação, o curry que minha mãe faz, os caras da escola, a forma como comemoramos os feriados. Só conhece a versão de mim que existe nessa ilha, onde todos são ricos, menos eu e os empregados. Onde todos são brancos, menos eu, Ginny e Paulo.

— Quem são Ginny e Paulo?

Gat acerta a palma da mão com o punho.

— Ginny é a empregada. Paulo é o jardineiro. Você não sabe o nome deles, sendo que trabalham aqui todo verão. Essa é uma parte do meu argumento.

Meu rosto fica quente de vergonha.

— Sinto muito.

— Mas você ao menos quer conhecer o resto? — Gat pergunta. — É capaz de entender?

— Você não vai saber até me dar uma chance — digo. — Não tenho notícias suas há um tempão.

— Sabe o que sou para seu avô? O que sempre fui?

— O quê?

— Heathcliff. De *O morro dos ventos uivantes*. Você leu?

Faço que não com a cabeça.

— Heathcliff é um garoto cigano acolhido e criado por uma família impecável, os Earnshaw. Ele se apaixona pela menina, Catherine. Ela o ama também, mas acha que ele não serve para ela, devido à sua ascendência. E o resto da família concorda.

— Não é assim que me sinto.

— Não há nada que Heathcliff possa fazer para que os Earnshaw o considerem bom o bastante. E ele tenta. Ele vai embora, estuda, vira um cavalheiro. Ainda assim, eles o consideram um animal.

— E?

— Então, já que o livro é uma tragédia, Heathcliff se transforma no que pensam dele, sabe? Ele se transforma em um homem bruto. O mal que há nele aflora.

— Achei que fosse um romance.

Gat sacode a cabeça.

— Aquelas pessoas são horríveis umas com as outras.

— Está dizendo que meu avô acha que você é Heathcliff?

— Eu tenho certeza disso — diz Gat. — Um bruto sob uma superfície agradável, traindo sua gentileza de me deixar vir para sua ilha protegida todos os anos. Eu o traí seduzindo sua Catherine, sua Cadence. E meu castigo é virar o monstro que ele sempre viu em mim.

Fico em silêncio.

Gat fica em silêncio.

Estendo o braço e toco nele. A mera sensação de seu antebraço sob o algodão fino da camisa me faz ansiar por beijá-lo de novo.

— Sabe o que é horrível? — Gat pergunta, sem olhar para mim. — O que é horrível é que, no fim das contas, ele está certo.

— Não, não está.

— Está, sim.

— Gat, espere.

Mas ele já entrou no quarto e fechou a porta.

Fico sozinha no corredor escuro.

40

ERA UMA VEZ *um rei que tinha três lindas filhas. As meninas cresceram e se tornaram adoráveis. Tiveram casamentos sublimes, mas* a chegada da primeira neta trouxe decepção. A jovem princesa gerou uma filha tão, mas tão pequena, que sua mãe resolveu guardá-la no bolso, onde a menina passava despercebida. Depois de um tempo, netos de tamanho normal chegaram e o rei e a rainha se esqueceram quase completamente da existência da princesa pequenina.

Quando a princesinha ficou mais velha, passava a maior parte dos dias e das noites praticamente sem sair de sua pequena cama. Ela não tinha muitos motivos para se levantar, de tão solitária que era.

Um dia, arriscou ir à biblioteca do palácio e ficou satisfeita ao descobrir como os livros podem ser boa companhia. Começou a frequentá-la com frequência. Certa manhã, enquanto lia, um rato apareceu sobre a mesa. Ele ficou em pé. Usava uma pequena jaqueta de veludo. Os bigodes eram limpos e o pelo era marrom. "Você lê como eu", ele disse. "Andando de um lado para o outro diante das páginas." Ele deu um passo à frente e se curvou em uma reverência.

O rato encantava a princesa pequenina com histórias de suas aventuras. Contou a ela sobre ogros que roubam pés de gente e deuses que abandonam os pobres. Fazia perguntas sobre o Universo e procurava continuamente por respostas. Achava que feridas precisavam de atenção. Por sua vez, a princesa narrava ao rato os contos de fadas, fazia retratos pixelados para ele e pequenos desenhos com lápis de cor. Ela ria e discutia com ele. Sentiu-se desperta pela primeira vez na vida.

Não demorou muito até que se apaixonassem perdidamente.

Quando apresentou o pretendente à família, no entanto, a princesa encontrou dificuldades. "Ele não passa de um rato!", berrou o rei com desdém, enquanto a rainha gritava e saía correndo da sala do trono, com medo. De fato, todo o reino, da realeza aos criados, via o *pretendente-rato com desconfiança e mal-estar. "Ele é anormal", as pessoas diziam. "Um animal disfarçado de gente".*

A princesa pequenina não hesitou. Ela e o rato deixaram o palácio e foram para muito, muito longe. Em uma terra estrangeira, casaram-se, construíram um lar, encheram-no de livros e chocolates e viveram felizes para sempre.

Se você quiser viver em um lugar onde as pessoas não tenham medo de ratos, deve abrir mão de viver em palácios.

41

UM GIGANTE EMPUNHA um serrote enferrujado. Ele se sente triunfante e cantarola enquanto trabalha, fatiando minha testa e chegando à mente que há por baixo.

Tenho menos de quatro semanas para descobrir a verdade.

Meu avô me chama de Mirren.

As gêmeas estão roubando remédio para dormir e brincos de diamante.

Minha mãe discutiu com as tias a respeito da casa de Boston.

Bess odeia Cuddledown.

Carrie perambula pela ilha à noite.

Will tem pesadelos.

Gat é Heathcliff.

Gat acha que eu não o conheço.

E talvez tenha razão.

Tomo comprimidos. Bebo água. O quarto está escuro.

Minha mãe está parada na porta, olhando para mim. Não falo com ela.

Fico na cama durante dois dias. De vez em quando a dor aguda fica menos intensa. Aí, se estou sozinha, sento e escrevo no amontoado de anotações acima da minha cama. Mais perguntas do que respostas.

Na manhã em que me sinto melhor, meu avô vem cedo para Windemere. Está usando calça de linho branca e uma jaqueta esportiva azul. Estou de shorts e camiseta, jogando a bola para os cães no pátio. Minha mãe já está na nova Clairmont.

— Estou indo para Edgartown — diz meu avô, coçando as orelhas de Bosh. — Quer vir? Se não se importar com a companhia de um velho.

— Não sei — brinco. — Estou tão ocupada com essa bola de tênis cheia de baba. Pode levar o dia todo.

— Vou te levar até a livraria, Cady. Comprar presentes como costumava fazer.

— Que tal um doce?

Meu avô riu.

— Claro.

— Minha mãe te convenceu a isso?

— Não. — Ele coça o tufo de cabelo branco. — Mas Bess não quer que eu dirija o barco a motor sozinho. Ela diz que posso ficar desorientado.

— Também não tenho permissão para dirigir o barco a motor.

— Eu sei — ele diz, segurando as chaves. — Mas Bess e Penny não mandam aqui. Eu mando.

Decidimos tomar café da manhã na cidade. Queremos tirar o barco do cais de Beechwood antes que as tias nos vejam.

EDGARTOWN É UMA VILA NÁUTICA ADORÁVEL em Martha's Vineyard. São vinte minutos até lá. É cheia de cerquinhas brancas e casas de madeira branca com jardins floridos. As lojas vendem coisas para turistas, sorvetes, roupas caras, joias antigas. Barcos saem do porto para passeios com pescaria e vistas deslumbrantes.

Meu avô parece como antes. Não para de gastar dinheiro. Tenta me agradar com café expresso e croissants de uma pequena padaria com bancos altos junto à vitrine, depois tenta comprar livros para mim na livraria de Edgartown. Quando recuso o presente, ele sacode a cabeça diante do meu projeto de doações, mas não dá sermão. Em vez disso, pede minha ajuda para escolher presentes para os pequenos e um livro sobre arranjo de flores para Ginny, a empregada. Fazemos um pedido enorme na Murdick's Fudge: chocolate, chocolate com nozes, manteiga de amendoim e doce de leite.

Passeando por uma das galerias de arte, encontramos o advogado do meu avô, um sujeito magro e grisalho chamado Richard Thatcher.

— Então esta é Cadence, a primeira — diz Thatcher, apertando minha mão. — Ouvi falar muito a seu respeito.

— Ele cuida dos meus bens — diz meu avô, explicando quem é o homem.

— Primeira neta — diz Thatcher. — Nada se compara a esse sentimento.

— Ela tem a cabeça no lugar também — diz meu avô. — Sangue dos Sinclair dos pés à cabeça.

Ele sempre fez essa coisa de falar frases de efeito. "Nunca reclame, nunca explique." "Não aceite *não* como resposta." Mas é irritante quando ele usa para falar de mim. A cabeça no lugar? A porra da minha cabeça está ferrada de inúmeras formas clinicamente diagnosticadas, e metade de mim vem do lado infiel dos Eastman. Não vou para a faculdade ano que vem; desisti de todos os esportes que costumava praticar e dos clubes de que fazia parte; estou chapada de oxicodona na metade do tempo e não sou legal nem com meus primos pequenos.

Ainda assim, o rosto do meu avô fica radiante ao falar de mim, e pelo menos hoje ele sabe que não sou Mirren.

— Ela se parece com você — diz Thatcher.

— Não parece? Só que ela é bonita.

— Obrigada — eu digo. — Mas se quiser que eu fique realmente parecida com ele, terei que colocar uns tufos pra cima no cabelo.

Isso faz meu avô rir.

— É do barco — ele diz a Thatcher. — Não trouxe chapéu.

— Na verdade é sempre assim — digo a Thatcher.

— Eu sei — ele afirma.

Os homens se cumprimentam com um aperto de mão e meu avô me dá o braço ao sairmos da galeria.

— Ele está cuidando muito bem de você — meu avô me diz.
— O sr. Thatcher?
Ele confirma.
— Mas não conte para sua mãe. Ela vai criar confusão de novo.

42

A CAMINHO DE CASA, uma lembrança surge.
Verão dos quinze, uma manhã do início de julho. Meu avô preparava um expresso na cozinha de Clairmont. Eu comia pão torrado com geleia à mesa. Estávamos só nós dois.
— Adoro aquele ganso — eu disse, apontando. Havia uma estátua de ganso cor de creme no aparador.
— Está lá desde que você, Johnny e Mirren tinham três anos — disse meu avô. — Foi o ano em que Tipper e eu fizemos aquela viagem para a China. — Ele riu. — Ela comprou muitos objetos de arte lá. Tínhamos uma guia de turismo, uma especialista em arte. — Ele foi até a torradeira e pegou o pedaço de pão que eu estava preparando para mim.
— Ei! — protestei.
— Shhh, eu sou o avô. Posso pegar a torrada quando quiser. — Ele sentou com o expresso e passou manteiga no pão.
— Essa garota, especialista em arte, nos levou a lojas de antiguidades e nos ajudou a circular pelas casas de leilão — ele

disse. — Ela falava quatro línguas. Não dava para imaginar ao olhar para ela. Uma chinesinha tão magrinha.

— Não diga *chinesinha*! Céus!

Ele me ignorou.

— Tipper comprou joias e queria comprar esculturas de animais para as casas daqui.

— Isso inclui o sapo de Cuddledown?

— Claro, o sapo de marfim — disse meu avô. — E sei que compramos dois elefantes.

— Esses estão em Windemere.

— E macacos em Red Gate. São quatro macacos.

— Marfim não é ilegal? — perguntei.

— Ah, em alguns lugares. Mas dá para conseguir. Sua avó amava marfim. Ela viajou para a China quando era criança.

— É presa de elefante?

— Ou de rinoceronte.

Lá estava ele, meu avô. Com o cabelo branco ainda espesso, as linhas de expressão profundas devido a todos aqueles dias velejando. O queixo quadrado como o de um artista de cinema de antigamente.

Pode ficar com ela, ele disse sobre a estátua de marfim.

Um de seus lemas: não aceite *não* como resposta.

Sempre me pareceu um jeito ousado de viver. Ele dizia isso quando nos aconselhava a ir atrás de nossas ambições. Quando encorajava Johnny a treinar para uma maratona, ou quando eu não consegui ganhar o prêmio de leitura no sétimo ano. Era algo que ele dizia quando falava sobre suas estratégias de negócios e sobre como convencera minha avó a se casar com ele.

"Pedi quatro vezes até ela dizer sim", ele sempre dizia, recontando uma de suas lendas favoritas da família Sinclair. "Eu a venci pelo cansaço. Ela disse *sim* para me fazer ficar quieto."

Agora, à mesa do café da manhã, observando-o comer meu pão torrado, "Não aceite *não* como resposta" parecia a atitude de um sujeito privilegiado que não se importava com quem fosse se ferir, contanto que sua esposa tivesse as lindas estátuas que queria exibir em suas casas de veraneio.

Fui até lá e peguei o ganso.

— As pessoas não deviam comprar marfim — eu disse. — É ilegal por um motivo. Gat estava lendo outro dia sobre…

— Não me diga o que aquele menino está lendo — retrucou meu avô. — Sou muito bem informado. Recebo todos os jornais.

— Desculpe. Mas ele me fez parar para pensar sobre…

— Cadence.

— Você podia leiloar as estátuas e depois doar o dinheiro para alguma instituição de proteção à vida selvagem.

— Aí eu ficaria sem as estátuas. Tipper tinha muito apreço por elas.

— Mas…

Meu avô gritou:

— Não me diga o que fazer com meu dinheiro, Cady. Ele não é seu.

— Está bem.

— Não é você quem diz que destino dar ao que é meu, está claro?

— Está.
— Nunca.
— Sim, vovô.

Senti o ímpeto de pegar aquele ganso e arremessá-lo para o outro lado da sala.

Ele quebraria quando atingisse a lareira? Ele estilhaçaria?

Fechei as mãos em punho.

Era a primeira vez que falávamos sobre vovó Tipper desde sua morte.

MEU AVÔ ENCOSTA o barco no cais e o amarra.

— Ainda sente falta da vovó? — pergunto a ele conforme nos aproximamos da nova Clairmont. — Porque eu sinto. Nunca falamos sobre ela.

— Uma parte de mim morreu — ele diz. — E era a melhor parte.

— Acha mesmo? — pergunto.

— É tudo o que tenho a dizer sobre isso — afirma meu avô.

43

ENCONTRO OS MENTIROSOS no pátio de Cuddledown. A grama está cheia de raquetes de tênis e garrafas de bebida, embalagens de comida e toalhas de praia. Os três estão deitados sobre toalhas de algodão, usando óculos de sol e comendo batatinha.

— Está se sentindo melhor? — pergunta Mirren.

Faço que sim.

— Sentimos sua falta.

Eles passaram óleo para bebê no corpo. Dois frascos estão sobre a grama.

—Vocês não têm medo de se queimar? — pergunto.

— Não acredito mais em protetor solar — diz Johnny.

— Ele está convencido de que os cientistas são corruptos e toda a indústria do protetor solar é uma fraude geradora de dinheiro — diz Mirren.

— Já ouviram falar de queimaduras solares? — pergunto.

— A pele fica cheia de bolhas.

— É uma ideia idiota — diz Mirren. — Só estávamos muito entediados. — Mas ela enche os braços de óleo para bebê enquanto fala.

Me deito ao lado de Johnny.

Abro um saco de batatinhas sabor churrasco.

Fico olhando para o peito de Gat.

Mirren lê em voz alta um trecho de um livro sobre Jane Goodall.

Ouvimos um pouco de música no meu iPhone, pelo alto-falante minúsculo.

— Por que não acredita em protetor solar mesmo? — pergunto a Johnny.

— É uma conspiração — ele diz. — Para vender um monte de creme de que ninguém precisa.

—Ahã.

— Eu não vou me queimar — ele diz. —Você vai ver.

— Mas por que está passando óleo para bebê?

— Ah, isso não faz parte do experimento — Johnny diz.
— Só gosto de ficar o mais seboso possível o tempo todo.

GAT ME ENCONTRA NA COZINHA, procurando algo para comer. Não tem muita coisa.

— A última vez que nos vimos foi novamente abaixo do padrão — ele diz. — No corredor, há alguns dias.

— É.

Minhas mãos estão tremendo.

— Sinto muito.

— Tudo bem.

— Podemos começar de novo?

— Não podemos começar de novo todos os dias, Gat.

— Por que não? — Ele dá um pulo para se sentar sobre a bancada. — Talvez esse seja um verão de segundas chances.

— Segundas, pode ser. Mas depois disso fica ridículo.

— Então apenas aja normalmente — ele diz. — Pelo menos hoje. Vamos fingir que não sou confuso, vamos fingir que você não está zangada. Vamos agir como amigos e esquecer o que aconteceu.

Não quero fingir.

Não quero ser amiga dele.

Não quero esquecer. Estou tentando lembrar.

— Só por um ou dois dias, até as coisas começarem a parecer certas novamente — diz Gat, vendo minha hesitação. — Vamos só passar um tempo juntos até tudo deixar de ter tanta importância.

Quero saber tudo, entender tudo; quero abraçar Gat bem de perto, passar minhas mãos sobre ele e nunca mais soltar. Mas talvez esse seja o único jeito de começar.

Aja como uma pessoa normal. Agora mesmo.
Porque você é. Porque você pode ser.

— Já aprendi a fazer isso — digo.

Entrego a ele a sacola de doces que meu avô e eu compramos em Edgartown e o modo como seu rosto se alegra diante do chocolate me enche de carinho.

44

NO DIA SEGUINTE, Mirren e eu pegamos o barco a motor pequeno e vamos para Edgartown sem permissão.

Os meninos não querem ir. Eles vão andar de caiaque.

Eu dirijo e Mirren coloca a mão na água.

Ela não está usando muita roupa: a parte de cima de um biquíni com estampa de margaridas e uma minissaia de sarja. Caminha pelas calçadas de pedra de Edgartown falando sobre Drake Loggerhead e como é ter "relações sexuais" com ele. Ela sempre usa essas palavras; as respostas sobre o que sentiu têm a ver com o perfume das rosas japonesas misturado com montanhas-russas e fogos de artifício.

Mirren também fala sobre quais roupas quer comprar para o primeiro ano em Pomona e filmes que quer ver e projetos que quer fazer durante o verão, como encontrar um lugar em Vineyard para andar a cavalo e voltar a fazer sorvete. Ela não para de tagarelar durante meia hora.

Eu gostaria de ter a vida dela. Um namorado, planos, faculdade na Califórnia. Mirren vai disparar em direção a seu futuro ensolarado enquanto eu vou voltar às aulas na Dickinson Academy, em mais um ano de neve e asfixia.

Compro um saquinho de doce na Murdick's, mesmo sabendo que sobrou um pouco de ontem. Nos sentamos em um banco na sombra, e Mirren continua falando.

Outra lembrança surge.

VERÃO DOS QUINZE, Mirren sentada ao lado de Taft e Will nos degraus de nossa lanchonete de frutos do mar preferida em Edgartown. Os meninos têm cata-ventos coloridos de plástico. Estamos esperando Bess, porque ela está com os sapatos de Mirren. Não podemos entrar sem eles.

Os pés de Mirren estavam sujos, as unhas pintadas de azul.

Estávamos esperando já havia um tempo quando Gat saiu da loja no fim do quarteirão. Ele levava uma pilha de livros debaixo do braço. Correu na nossa direção a toda velocidade, como se estivesse com muita pressa para nos alcançar, mesmo nós estando ali sentadas.

Então parou de repente. O primeiro livro era *O ser e o nada* de Sartre. Ele ainda tinha as palavras escritas no dorso das mãos. Uma indicação do meu avô.

Gat se curvou como um tolo, um palhaço, e me presenteou com o livro que estava no fim da pilha. Era um romance de Jaclyn Moriarty. Eu estava lendo aquela autora durante todo o verão.

Abri o livro na folha de rosto. Havia uma dedicatória. *Para Cady, com tudo, tudo. Gat.*

— **EU ME LEMBRO** de ficarmos esperando seus sapatos para poder entrar na lanchonete de frutos do mar — digo a Mirren. Ela tinha parado de falar e olhava para mim com expectativa. — Cata-ventos — digo. — Gat me dando um livro.

— Então suas lembranças estão voltando — Mirren diz. — Isso é ótimo!

— As tias brigaram pela herança.

Ela dá de ombros.

— Um pouco.

— E o vovô e eu, nós tivemos uma discussão sobre estátuas de marfim.

— É. Conversamos sobre isso na época.

— Me diga uma coisa.

— O quê?

— Por que Gat desapareceu depois do acidente?

Mirren torce uma mecha de cabelo.

— Não sei.

— Ele voltou com Raquel?

— Não sei.

— Nós brigamos? Eu fiz alguma coisa errada?

— Eu *não sei*, Cady.

— Ele ficou chateado comigo outro dia. Por eu não saber o nome dos empregados. Por nunca ter visto o apartamento dele em Nova York.

Faz-se um silêncio.

— Ele tem bons motivos para ficar zangado — diz Mirren, finalmente.

— O que eu fiz?

Mirren suspira.

— Não tem como você consertar.

— Por que não?

De repente Mirren começa a engasgar. A ter ânsia de vômito. Dobra o corpo para a frente, suando, pálida.

—Você está bem?

— Não.

— Posso ajudar?

Ela não responde.

Eu lhe ofereço uma garrafa de água. Ela pega. Bebe devagar.

— Fiz muito esforço. Preciso voltar a Cuddledown. Agora.

Seus olhos estão opacos. Eu estendo a mão. Sua pele continua molhada de suor e ela parece não conseguir se equilibrar direito. Andamos em silêncio até o porto, onde o pequeno barco a motor está atracado.

MINHA MÃE NUNCA NOTOU que o barco havia desaparecido, mas ela vê o saco de doces quando o entrego a Taft e Will.

Mais uma vez, blá-blá-blá. O sermão não é interessante.

Não posso sair da ilha sem permissão dela.

Não posso sair da ilha sem supervisão de um adulto.

Não posso operar um veículo motorizado enquanto estiver tomando remédio.

Não posso ser tão idiota quanto minhas ações, posso?

Peço as desculpas que minha mãe quer ouvir. Depois corro para Windemere e escrevo tudo o que lembro — a lanchonete de frutos do mar, o cata-vento, os pés sujos de Mirren sobre os degraus de madeira, o livro que Gat me deu — no papel quadriculado sobre minha cama.

45

NO INÍCIO DA MINHA SEGUNDA SEMANA em Beechwood, descobrimos o telhado de Cuddledown. É fácil subir lá; só não tínhamos feito antes porque era preciso passar pela janela do quarto da tia Bess.

O telhado é muito frio à noite, mas durante o dia proporciona uma ótima vista da ilha e do mar. Posso enxergar além das árvores que cercam Cuddledown, até a nova Clairmont e seu jardim. Dá até para ver dentro da casa, que tem janelas do chão ao teto em muitos cômodos do térreo. Dá para ver um pouco de Red Gate também, e na outra direção, Windemere e a baía.

Naquela primeira tarde, espalhamos comida sobre uma antiga toalha de piquenique. Comemos pão doce e queijos cremosos que vinham em pequenas caixas de madeira. Frutas silvestres em embalagens de papelão verde. Garrafas geladas de limonada com gás.

Decidimos vir aqui todos os dias. O verão todo. Esse telhado é o melhor lugar do mundo.

— Se eu morrer — digo enquanto olhamos a paisagem. — Quer dizer, *quando* eu morrer, joguem minhas cinzas nas águas da praia pequena. Então, quando sentirem minha falta, podem subir aqui, olhar para baixo e pensar em como eu era incrível.

— Ou podemos descer e nadar em você — diz Johnny. — Se sentirmos muito sua falta.

— Eca.

— Foi você que quis ser jogada na água da praia pequena.

— Eu só quis dizer que adoro isso aqui. Seria um ótimo lugar para minhas cinzas.

— É — diz Johnny. — Seria.

Mirren e Gat ficaram em silêncio, comendo avelãs cobertas com chocolate de uma tigela de cerâmica azul.

— Esse não é um bom assunto — diz Mirren.

— Tudo bem — diz Johnny.

— E não quero minhas cinzas aqui — diz Gat.

— Por que não? — pergunto. — Podíamos ficar todos juntos na praia pequena.

— E os pequenos vão poder nadar em nós! — grita Johnny.

— Você está me deixando com nojo — retruca Mirren.

— Não é muito diferente de todas as vezes que fiz xixi lá — diz Johnny.

— Eca.

— Ah, o que é isso...? todo mundo faz xixi lá.

— Eu não faço — diz Mirren.

— Faz sim — ele afirma. — Se a água da praia pequena não é feita de xixi, depois de todos esses anos, algumas cinzas não vão estragá-la.

— Vocês já pensaram em seu funeral? — pergunto.
— Do que está falando? — Johnny franze o nariz.
— Vocês sabem, em *Tom Sawyer*, quando todo mundo acha que Tom, Huck e... qual é o nome dele?
— Joe Harper — diz Gat.
— Sim, eles acham que Tom, Huck e Joe Harper estão mortos. Eles vão ao próprio funeral e escutam todas as lembranças boas que o pessoal da cidade tem deles. Depois que li isso, sempre penso no meu próprio funeral. Por exemplo, o tipo de flor, onde quero minhas cinzas. E o discurso também, dizendo como eu era transcendentalmente incrível e ganhei o prêmio Nobel e uma medalha olímpica.
— E você ganhou uma medalha olímpica em qual esporte? — pergunta Gat.
— Talvez handebol.
— Tem handebol nas olimpíadas?
— Tem.
— E você joga handebol?
— Ainda não.
— É melhor começar.
— A maioria das pessoas planeja o casamento — diz Mirren. — Eu costumava planejar o meu.
— Homens não planejam casamento — diz Johnny.
— Se eu me casasse com Drake, as flores todas seriam amarelas — diz Mirren. — Flores amarelas por todo lado. E um vestido de primavera amarelo, como um vestido de casamento normal, só que amarelo. E ele usaria uma faixa amarela na cintura.

— Ele teria que te amar muito, muito, para usar uma faixa amarela na cintura — digo a ela.

— É — diz Mirren. — Mas o Drake usaria.

—Vou dizer o que não quero no meu funeral — diz Johnny. — Não quero um monte de gente do mundo artístico de Nova York, que nem me conhece, em um salão idiota.

— Eu não quero religiosos falando de um Deus em que não acredito — diz Gat.

— Ou um bando de garotas falsas agindo como se estivessem tristes e depois passando batom e arrumando o cabelo no banheiro — diz Mirren.

— Minha nossa — eu ironizo. —Vocês falam como se funerais não fossem divertidos.

— Sério, Cady — diz Mirren. —Você devia planejar seu casamento, não seu funeral. Pare de ser mórbida.

— E se eu nunca me casar? E se eu não quiser me casar?

— Planeje o lançamento do seu livro, então. Ou a abertura da sua exposição de arte.

— Ela vai ganhar uma medalha olímpica e o prêmio Nobel — diz Gat. — Pode planejar comemorações para essas coisas.

— Está bem — eu digo. —Vamos planejar a festa da minha medalha olímpica no handebol. Se isso deixa vocês felizes.

Então fazemos isso. Bolas de handebol cobertas de pasta americana azul. Um vestido dourado para mim. Taças de champanhe com pequenas bolas douradas dentro. Discutimos se as pessoas usam ou não óculos esquisitos para jogar handebol, como no raquetebol, e resolvemos que, na festa, elas usam. Todos os convidados usarão óculos de handebol o tempo todo.

—Você joga em um *time* de handebol? — pergunta Gat. — Quer dizer, haverá toda uma equipe de deusas do handebol lá, comemorando a vitória com você? Ou você ganhou sozinha?

— Não tenho ideia.

—Você precisa mesmo começar a pesquisar sobre isso — diz Gat. — Ou nunca vai ganhar o ouro. Teremos que repensar toda a festa se você for prata.

A VIDA PARECE BELA nesse dia.

Nós quatro, os Mentirosos, sempre fomos.

Sempre seremos.

Independentemente do que acontecer quando formos para a faculdade, ficarmos mais velhos, construirmos nossas vidas; independentemente de eu e Gat estarmos ou não juntos. Independentemente de onde estivermos, sempre poderemos nos reunir no telhado de Cuddledown e olhar para o mar.

Essa ilha é nossa. Aqui, de certo modo, somos jovens para sempre.

46

OS DIAS QUE SE SEGUEM são mais escuros. Raramente os Mentirosos querem ir para algum lugar. Mirren fica com dor de garganta e dor no corpo. Passa a maior parte do tempo em Cuddledown. Pinta quadros para pendurar nos corredores e faz fileiras de conchas na beirada das bancadas. A louça se empilha na pia e sobre a mesa de centro. DVDs e livros estão amontoados por toda a sala. As camas estão desarrumadas, os banheiros têm cheiro de umidade e mofo.

Johnny come queijo e assiste a comédias britânicas. Um dia ele pega vários saquinhos de chá velhos, empapados, e os joga em uma caneca cheia de suco de laranja.

— O que está fazendo? — pergunto.

— Quem conseguir respingar mais ganha.

— Mas por quê?

— Minha mente funciona de maneira misteriosa — diz Johnny. — Acho que jogar de baixo para cima deve ser a melhor técnica.

Ajudo-o a pensar em um sistema de pontos. Cinco para um respingo, dez para uma poça, vinte para um padrão decorativo na parede.

Acabamos com uma garrafa inteira de suco. Quando termina, Johnny deixa a caneca e os saquinhos encharcados onde caíram.

Eu não limpo.

Gat tem uma lista dos cem melhores romances já escritos, e está aproveitando para ler tudo o que encontra na ilha. Ele marca os livros com post-its e lê passagens em voz alta. *Homem invisível. Uma passagem para a Índia. Soberba.* Presto atenção média quando ele lê, porque Gat não me beijou mais nem estendeu a mão para mim desde que concordamos em agir normalmente.

Acho que ele evita ficar sozinho comigo.

Eu evito ficar sozinha com ele também, porque meu corpo todo deseja estar perto dele, porque todos os movimentos que faz são carregados de eletricidade. Várias vezes penso em envolvê-lo com os braços ou passar os dedos em seus lábios. Quando deixo meus pensamentos aflorarem — se por um instante Johnny e Mirren estão fora do alcance da visão, se mesmo por um segundo ficamos sozinhos — a dor aguda do amor não correspondido convida a enxaqueca a entrar.

Nesses dias, ela é como uma velha encarquilhada e retorcida, tocando a carne viva do meu cérebro com suas unhas desumanas. Cutuca meus nervos expostos, conjecturando se deve fixar residência em meu crânio. Quando a velha entra, fico confinada em meu quarto por um ou dois dias.

Almoçamos no telhado quase sempre.

Suponho que eles façam o mesmo quando estou doente.

De vez em quando, uma garrafa rola do telhado e o vidro estilhaça. Na verdade, há cacos e mais cacos de vidro quebrado e grudento em toda a varanda.

Moscas sobrevoam, atraídas pelo açúcar.

47

NO FIM DA SEGUNDA SEMANA, encontro Johnny sozinho no pátio, brincando com peças de Lego que deve ter encontrado em Red Gate.

Tenho picles, palitos de queijo e atum grelhado que sobrou da cozinha da nova Clairmont. Decidimos não subir no telhado, já que estamos apenas nós dois. Abrimos os potes e os alinhamos na beirada da varanda suja. Johnny fala que quer construir Hogwarts em Lego. Ou a Estrela da Morte. Ou, espere! Melhor ainda seria um atum de Lego para colocar na nova Clairmont agora que não há mais nenhum animal empalhado do meu avô lá. É isso. Que pena que não tem Lego suficiente nessa ilha idiota para um projeto visionário como o dele.

— Por que você não me ligou nem mandou e-mail depois do acidente? — pergunto. Não pretendia tocar no assunto. Mas as palavras saíram.

— Ah, Cady.

Sinto-me idiota perguntando, mas quero saber.

— Não prefere falar sobre o atum de Lego? — Johnny improvisa.

— Achei que estivesse irritado comigo por causa daqueles e-mails. Aqueles que mandei perguntando sobre Gat.

— Não, não. — Johnny limpa a mão na camiseta. — Eu sumi porque sou um cretino. Porque não penso antes de fazer as coisas, vi muitos filmes de ação e faço tipo.

— Sério? Não penso isso de você.

— É um fato inegável.

— Você não ficou bravo?

— Eu fui um imbecil. Mas não fiquei bravo. Nunca fiquei bravo. Sinto muito, Cadence.

— Obrigada.

Ele pega um punhado de Lego e começa a montagem.

— Por que Gat desapareceu? Você sabe?

Johnny suspira.

— Essa é outra questão.

— Ele disse que não o conheço de verdade.

— Pode ser que não.

— Gat não quer falar sobre o acidente. Ou sobre o que aconteceu com a gente naquele verão. Quer que a gente aja normalmente, como se nada tivesse acontecido.

Johnny alinhou seus Legos pela cor: azul, branco e verde.

— Gat foi um cretino com aquela menina, Raquel, quando começou a ficar com você. Ele sabia que não era certo e se odiou por isso.

— Certo.

— Ele não queria ser esse tipo de cara. Queria ser uma boa pessoa. E estava muito zangado naquele verão, com um monte de coisas. Quando ele não estava lá pra te ajudar, ele se odiou ainda mais.

—Você acha?

— Acho — diz Johnny.

— Ele está saindo com alguém?

— Ah, Cady — diz Johnny. — Gat é um idiota arrogante. Eu o amo como se fosse meu irmão, mas você é boa demais para ele. Procure um cara legal em Vermont, com músculos como os de Drake Loggerhead. — Ele cai na risada.

—Você é um inútil.

— Não posso negar — Johnny responde. — Mas você precisa parar de ser tão sentimental.

48

DOAÇÃO: *Vida encantada*, de Diana Wynne Jones.

É uma das histórias de Crestomanci que minha mãe lia para mim e para Gat quando tínhamos oito anos. Já reli várias vezes desde então, mas duvido que Gat tenha feito o mesmo.

Abro o livro e escrevo na folha de rosto. *Para Gat, com tudo, tudo. Cady.*

Vou para Cuddledown na manhã seguinte bem cedo, pisando em xícaras de chá sujas e DVDs. Bato na porta do quarto de Gat.

Ninguém responde.

Bato de novo, depois abro.

Costumava ser o quarto de Taft. Está cheio de ursos e miniaturas de barcos, além das pilhas de livros que Gat fazia, sacos de batatinha vazios, castanhas de caju pisoteadas. Garrafas de suco e refrigerante pela metade, CDs, a caixa de Scrabble, a maioria das peças espalhadas no chão. Está bagunçado como o resto da casa, ou até pior.

De qualquer modo, ele não está lá. Deve estar na praia.

Deixo o livro sobre o travesseiro.

49

NAQUELA NOITE, Gat e eu acabamos ficando sozinhos no telhado de Cuddledown. Mirren estava enjoada e Johnny a levou para baixo para tomar um chá.

Vozes e música saíam da nova Clairmont, onde as tias e meu avô estão comendo torta de mirtilo e tomando vinho do Porto. Os pequenos estão assistindo a um filme na sala.

Gat percorre a parte inclinada do telhado até a calha e sobe de novo. Parece perigoso, fácil de cair — mas ele é destemido.

Agora é o momento de falar com ele.

Agora é o momento em que podemos parar de fingir que está tudo normal.

Procuro as palavras certas, a melhor forma de começar.

De repente, ele escala de volta para onde estou sentada em três passos largos.

— Você é muito, muito bonita, Cady — ele diz.

— É a luz da lua. Faz todas as meninas ficarem bonitas.

— Acho que você é bonita sempre e para sempre. — Sua silhueta contrasta com a luz. — Você tem namorado em Vermont?

É claro que não tenho. Nunca tive namorado, exceto ele.

— Meu namorado se chama Oxicodona — digo. — Somos muito próximos. Fomos juntos para a Europa no verão passado.

— Minha nossa. — Gat está irritado. Ele se levanta e se afasta até a beirada do telhado.

— Estou brincando.

Gat está de costas para mim.

— Você diz que não devemos ter pena...

— Sim.

— ... mas fica falando essas coisas. *Meu namorado se chama*

Oxicodona. Ou: *Fiquei olhando fixamente para a base azul do vaso sanitário italiano.* E fica claro que você quer que *todo mundo* fique com pena de você. E nós ficaríamos, *eu* ficaria, mas você não tem ideia da sorte que tem.

Meu rosto cora.

Ele está certo.

Eu quero que as pessoas sintam pena de mim. Eu quero.

E depois não quero.

Eu quero.

E depois não quero.

— Desculpe — eu digo.

— Harris mandou você passar oito semanas na Europa. Acha que ele *algum dia* vai mandar Johnny ou Mirren? E nunca *me* mandaria. Pense antes de reclamar sobre coisas que outras pessoas adorariam ter.

Eu me contorço.

— Meu avô me mandou para a Europa?

— Ah, qual é? — Gat diz com amargura. — Acha mesmo que seu pai pagou por aquela viagem?

Sei imediatamente que ele está dizendo a verdade.

É claro que meu pai não pagou pela viagem. Ele nem poderia. Professores universitários não voam de primeira classe nem se hospedam em hotéis cinco estrelas.

Estou tão acostumada aos verões em Beechwood, despensas com um estoque interminável, vários barcos a motor e empregados que grelham bifes e lavam roupas de cama em silêncio — que nem parei para pensar de onde o dinheiro estava vindo.

Meu avô me mandou para a Europa. Por quê?

Por que minha mãe não foi comigo, se a viagem foi um presente do meu avô? E por que meu pai aceitaria aquele dinheiro do meu avô?

— Você tem uma vida acontecendo diante dos seus olhos, com um milhão de possibilidades — Gat diz. — Eu... eu fico incomodado quando você quer compaixão, só isso.

Gat, meu Gat.

Ele está certo. Está mesmo.

Mas ele também não entende.

— Sei que ninguém está me agredindo — digo, de repente na defensiva. — Sei que tenho muito dinheiro e uma boa educação. Comida na mesa. Não estou morrendo de câncer. Muita gente tem uma vida bem pior do que a minha. E sei que tive sorte de poder ir para a Europa. Não devia reclamar disso nem ser ingrata.

— Então tá.

— Mas, ouça, você não tem ideia de como é ter dores de cabeça como essas. Não tem ideia. Dói — eu digo, e percebo que há lágrimas escorrendo pelo meu rosto. — Às vezes é difícil estar viva. Muitas vezes desejo estar morta, de verdade, só para fazer a dor parar.

— Não é verdade — ele diz com rispidez. — Você não deseja estar morta. Não diga isso.

— Só quero que essa dor acabe — digo. — Nos dias em que os remédios não funcionam. Quero que acabe e faria qualquer coisa, sério, qualquer coisa, se tivesse a certeza de que acabaria com a dor.

Faz-se um silêncio. Ele caminha até a beirada do telhado, sem olhar para mim.

— E o que você faz? Quando acontece isso?

— Nada. Eu fico lá deitada e espero, e me lembro repetidas vezes de que a dor não dura para sempre. De que outro dia vai chegar e, depois dele, mais um. Qualquer dia desses, vou me levantar e tomar café da manhã e me sentir bem.

— Outro dia.

— É.

Agora ele se vira e sobe o telhado em alguns passos. De repente, seus braços estão em volta de mim, e estamos presos um ao outro.

Gat está tremendo um pouco e beija meu pescoço com lábios frios. Ficamos assim, envolvidos nos braços um do outro, por um minuto ou dois,

e parece que o universo está se reorganizando,

e eu sei que qualquer raiva que sentíamos desapareceu.

Gat me beija nos lábios e toca meu rosto.

Eu o amo.

Sempre amei.

Ficamos lá no telhado por um longo, longo tempo. Para sempre.

50

MIRREN TEM FICADO DOENTE com muita frequência. Ela acorda tarde, pinta as unhas, deita no sol e fica vendo paisagens africanas em um livro grande de fotografias. Mas não quer mergulhar. Não quer velejar. Não quer jogar tênis nem ir para Edgartown.

Levo para ela jujubas da nova Clairmont. Mirren adora jujubas.

Hoje, estamos as duas deitadas na praia pequena. Lemos revistas que roubei das gêmeas e comemos cenourinhas. Mirren está com os fones de ouvido. Ela fica ouvindo a mesma música várias vezes no meu iPhone.

Nossa juventude está enfraquecida
Não vamos desperdiçá-la
Lembre-se do meu nome
Porque fizemos história
Na na na na na na na

CUTUCO MIRREN com uma cenoura.

— O que foi?

—Você precisa parar de cantar ou não me responsabilizo pelas minhas ações.

Ela se vira pra mim, séria. Tira os fones de ouvido.

— Posso te dizer uma coisa, Cady?

— Claro.

— Sobre você e Gat. Eu ouvi vocês dois descendo ontem à noite.

— E?

—Acho que você devia deixar Gat em paz.

— O quê?

— Isso vai acabar mal e estragar tudo.
— Eu o amo — digo. — Você sabe que sempre amei.
— Você está dificultando as coisas para ele. Tornando tudo mais difícil do que já é. Você vai magoar Gat.
— Não é verdade. É mais provável que ele me magoe.
— Bem, pode acontecer também. Não é uma boa ideia vocês ficarem juntos.
— Você não entende que prefiro ser magoada do que ignorada por ele? — digo, sentando. — Prefiro mil vezes viver, arriscar e ver tudo acabar mal a permanecer na bolha em que estive nos últimos dois anos. É um lugar pequeno, Mirren. Eu e minha mãe. Eu e meus remédios. Eu e minha dor. Não quero mais viver lá.

Um silêncio paira no ar.

— Nunca tive um namorado — Mirren revela.

Olho nos olhos dela. Vejo lágrimas.

— E Drake Loggerhead? E as rosas amarelas e as relações sexuais? — pergunto.

Ela baixa os olhos.

— Eu menti.
— Por quê?
— Sabe quando você vem para Beechwood e é como se estivesse em outro mundo? Você não precisa ser quem é em casa. Pode ser alguém melhor até.

Confirmo com a cabeça.

— No primeiro dia depois que você voltou, observei Gat. Ele olhava para você como se fosse o planeta mais brilhante da galáxia.

— É mesmo?

— Quero tanto alguém que olhe para mim desse jeito, Cady. Tanto. E não tive a intenção, mas acabei mentindo. Sinto muito.

Não sei o que dizer. Respiro fundo.

— Não suspire, tá bom? — Mirren censura. — Não faz mal. Não faz mal se eu nunca tiver um namorado. Não faz mal se ninguém nunca me amar, certo? É perfeitamente tolerável.

A voz da minha mãe me chama de algum lugar perto da nova Clairmont.

— Cadence! Está me ouvindo?

Respondo gritando:

— O que você quer?

— A cozinheira está de folga hoje. Estou começando a fazer o almoço. Venha cortar os tomates.

— Já vou. — Suspiro e olho para Mirren. — Preciso ir.

Ela não responde. Visto o moletom e subo até a nova Clairmont.

Na cozinha, minha mãe me entrega uma faca especial para tomates e começa a falar.

Blá-blá-blá, você está sempre na praia pequena.

Blá-blá-blá, você devia brincar com os pequenos.

Seu avô não vai estar aqui para sempre.

Sabe que está com uma queimadura de sol?

Eu corto e corto, uma cesta cheia de tomates com formato estranho. Eles são amarelos, verdes e bem vermelhos.

51

É MINHA TERCEIRA SEMANA na ilha e uma enxaqueca me ataca por dois dias. Talvez três. Não sei nem dizer. Os comprimidos estão acabando, embora eu tenha pegado um frasco novo antes de sair de casa.

Me pergunto se minha mãe está tomando também. Talvez sempre tenha tomado.

Talvez as gêmeas estejam entrando no meu quarto de novo e roubando coisas de que não precisam. Talvez sejam viciadas.

Talvez eu esteja tomando mais do que imagino. Pegando mais em meio ao atordoamento da dor. Esquecendo a última dose que tomei.

Tenho medo de dizer à minha mãe que preciso de mais.

Quando me sinto estável, volto a Cuddledown. O sol está baixo. A varanda está coberta de garrafas quebradas. Lá dentro, as fitas caíram do teto e se enrolam no chão. A louça na pia está ressecada e cheia de crostas. As toalhas que cobrem a mesa de jantar estão sujas. A mesa de centro está cheia de marcas circulares de canecas de chá.

Encontro os Mentirosos reunidos no quarto de Mirren, todos olhando para a Bíblia.

— Discussão sobre uma palavra do Scrabble — diz Mirren assim que eu entro. Ela fecha o livro. — Gat estava certo, como sempre. Você está sempre certo, Gat. Meninas não gostam disso em um cara, sabia?

As peças de Scrabble estão espalhadas no chão da sala. Eu vi quando entrei.

Eles não estavam jogando.

— O que vocês fizeram nos últimos dias? — pergunto.

— Ai, minha nossa — diz Johnny, espreguiçando-se sobre a cama de Mirren. — Já esqueci.

— Foi Quatro de Julho — diz Mirren. — Fomos jantar na nova Clairmont e depois todo mundo saiu no barco a motor grande para ver os fogos em Vineyard.

— Hoje fomos à loja de donuts em Nantucket — diz Gat.

Eles nunca vão a lugar nenhum. Nunca. Nunca veem ninguém. Agora, enquanto estive doente, foram a todos os lugares, viram todo mundo?

— Downyflake — digo. — É o nome da loja de donuts.

— Sim. Os donuts são maravilhosos — diz Johnny.

—Você odeia donuts sem recheio.

— Odeia mesmo — diz Mirren. — Mas não pegamos sem recheio.

— Pegamos de creme com cobertura de chocolate — diz Gat.

— E de geleia — diz Johnny.

Mas eu sei que a Downyflake só faz donuts simples, sem recheio. Nada de creme com chocolate. Nada de geleia.

Por que eles estão mentindo?

52

JANTO COM MINHA MÃE e com os pequenos na nova Clairmont, mas naquela noite tenho enxaqueca de novo. É pior do que a anterior. Deito em meu quarto escuro. Abutres bicam a massa que vaza do meu crânio esmagado.

Abro os olhos e Gat está parado diante de mim. Eu o vejo em meio a um nevoeiro. A luz brilha através das cortinas, então deve ser dia.

Gat nunca vem a Windemere. Mas lá está ele. Olhando para o papel quadriculado na minha parede. Para os post-its. Para as novas lembranças e informações que acrescentei desde que cheguei aqui, anotações sobre a morte dos cães dos meus avós, meu avô e o ganso de marfim, Gat me dando o livro da Moriarty, as tias brigando pela casa de Boston.

— Não leia meus papéis — resmungo.

Ele se afasta.

— Não sabia que não podia. Desculpe.

Eu me viro de lado e pressiono o rosto junto ao travesseiro quente.

— E não sabia que você estava colecionando histórias. — Gat senta na cama. Estende o braço e pega minha mão.

— Estou tentando me lembrar dos acontecimentos sobre os quais ninguém quer falar — digo. — Inclusive você.

— Quero falar sobre isso.

— Quer?

Ele está olhando para o chão.

— Tive uma namorada, dois verões atrás.

— Eu sei. Sempre soube.

— Mas nunca te contei.

— Não, não contou.

— Eu me apaixonei por você de tal forma, Cady... Não tinha como parar. Sei que devia ter te contado tudo e terminado com Raquel na mesma hora. Mas é que... ela estava lá em Nova York, e eu nunca te vejo no resto do ano, e meu telefone não funcionava direito aqui, e eu continuei recebendo pacotes dela. E cartas. O verão todo.

Olho para ele.

— Fui um covarde — Gat diz.

— É.

— Fui cruel. Com você e com ela também.

Meu rosto queima com a lembrança do ciúme.

— Sinto muito, Cady. — Gat continua. — É isso que eu devia ter dito a você esse ano, no dia em que chegamos. Eu estava errado e sinto muito.

Faço um gesto positivo com a cabeça. É bom ouvi-lo dizer isso. Queria não estar tão chapada.

— Na metade do tempo eu me odeio por todas as coisas que fiz — diz Gat. — Mas o que me deixa mesmo confuso é a contradição: quando não estou me odiando, me sinto íntegro, uma vítima, como se o mundo fosse muito injusto.

— Por que você se odeia?

Quando me dou conta, Gat está deitado na cama ao meu lado. Seus dedos frios entrelaçam-se aos meus dedos quentes, e seu rosto fica perto do meu. Ele me beija.

— Porque quero coisas que não posso ter — ele sussurra.

Mas ele me tem. Ele não sabe que já me tem?

Ou Gat está falando de alguma outra coisa, alguma outra coisa que não pode ter? Algo material, um sonho ou coisa do tipo?

Estou suada, minha cabeça dói e não consigo pensar direito.

— Mirren acha que isso vai acabar mal e que eu devia deixar você em paz — conto a ele.

Ele me beija de novo.

— Alguém fez algo comigo que é terrível demais para lembrar — sussurro.

— Eu te amo — ele diz.

Nós nos abraçamos e nos beijamos por um longo tempo.

A dor na minha cabeça diminui um pouco. Mas não completamente.

ABRO OS OLHOS e o relógio marca meia-noite.

Gat se foi.

Abro as cortinas e olho pela janela, erguendo a vidraça para pegar um pouco de ar.

Tia Carrie está andando de camisola novamente. Passando por Windemere, coçando os braços muito finos sob a luz da lua. Ela nem está de botas dessa vez.

Em Red Gate, consigo ouvir Will gritando depois de um pesadelo:

— Mamãe! Mamãe, preciso de você!

Mas Carrie não o escuta, pois não vai até ele. Muda de direção e segue pela passagem na direção de nova Clairmont.

53

DOAÇÃO: uma caixa de Legos.

Já doei todos os meus livros. Dei alguns aos pequenos, um para Gat, e fui com tia Bess doar o resto para um sebo beneficente em Vineyard.

Hoje de manhã, vasculhei o sótão. Tem uma caixa de Legos lá, e eu a levo para Johnny. Encontro-o sozinho na sala de Cuddledown, atirando pedacinhos de massa de modelar na parede e vendo as cores mancharem a tinta branca.

Ele vê os Legos e sacode a cabeça.

— Para seu atum — explico. — Agora você tem o bastante.

— Não vou fazer — ele diz.

— Por que não?

— Dá muito trabalho. Dê para Will.

— Você não está com os Legos do Will aqui?

— Levei de volta. Will estava louco por eles — Johnny diz.

— Vai ficar feliz com mais.

Levo a caixa para Will na hora do almoço. Há pequenas pessoas de Lego e várias peças para montar carros.

Ele fica ridiculamente feliz. Ele e Taft montam carros durante todo o almoço. Nem param para comer.

54

NAQUELA MESMA TARDE, os Mentirosos pegam os caiaques.

— O que estão fazendo? — pergunto.

—Vamos até um lugar que conhecemos — diz Johnny. — Já fizemos isso antes.

— Cady não devia ir — diz Mirren.

— Por que não? — pergunta Johnny.

— Por causa da cabeça! — grita Mirren. — E se ela se machucar de novo e a enxaqueca ficar ainda pior? Minha nossa, você ainda tem cérebro, Johnny?

— Por que está gritando? — diz Johnny. — Não seja assim.

Por que ela não quer que eu vá?

—Você pode ir, Cadence — diz Gat. — Tudo bem se ela for.

Não quero insistir se não querem minha companhia, mas Gat aponta o banco do caiaque na frente dele e eu entro.

Na verdade, não quero ficar longe deles.

Nunca.

Remamos pelo lado da baía sob Windemere até um recesso. A casa da minha mãe fica sobre uma saliência. Embaixo há um aglomerado de rochas ásperas que quase parecem uma caverna. Puxamos os caiaques sobre as pedras e subimos na parte seca e fresca.

Mirren está enjoada, embora tenhamos ficado nos caiaques por poucos minutos. Ultimamente ela passa mal com tanta frequência que não é surpresa. Ela se deita com os braços sobre o rosto. Fico esperando os meninos desembalarem comida para um piquenique — eles carregam uma mochila de lona —, mas em vez disso Gat e Johnny começam a escalar as pedras. Eles já fizeram isso antes, dá para ver. Estão descalços e sobem até um ponto elevado a quase oito metros da água, parando em uma base suspensa sobre o mar.

Eu os observo até se estabelecerem.

— O que estão fazendo?

— Estamos sendo muito, muito másculos — Johnny grita lá de cima. Sua voz ecoa.

Gat ri.

— Não, sério — digo.

— Pode achar que somos garotos da cidade, mas a verdade é que somos cheios de testosterona.

— Não são.

— Somos sim.

— Ah, por favor. Vou subir aí com vocês.

— Não faça isso! — diz Mirren.

— Johnny me provocou — digo. — Agora eu tenho que ir. — Começo a escalar na mesma direção que os meninos foram. As rochas são frias sob minhas mãos, mais lisas do que eu esperava.

— Não — Mirren repete. — É por isso que eu não queria que você viesse.

— Por que *você* veio então? — pergunto. — Vai subir lá?

— Eu pulei da última vez — Mirren admite. — Uma vez basta.

— Eles vão pular? — Isso não parece possível.

— Pare, Cady. É perigoso — diz Gat.

E, antes que eu consiga subir mais, Johnny tampa o nariz e pula. Ele mergulha com os pés para baixo.

Eu grito.

Ele atinge a água com força. O mar está cheio de rochas nessa parte. Não dá para saber se é fundo ou raso. Johnny poderia morrer, de verdade, fazendo isso. Poderia. Mas ele aparece, sacudindo a água do cabelo curto e loiro e berrando.

—Você é louco! — eu o censuro.

Depois Gat pula. Johnny tinha se retorcido e berrado ao cair, mas Gat é silencioso, junta as pernas. Ele perfura a água gelada sem provocar quase nenhum respingo. Sai feliz, torcendo a água da camiseta enquanto volta a subir nas pedras secas.

— Eles são idiotas — diz Mirren.

Olho para as pedras de onde pularam. Parece impossível que alguém sobreviva.

E, de repente, quero pular. Começo a escalar novamente.

— Não, Cady — diz Gat. — Por favor, não.

— Você acabou de pular — eu digo. — E disse que não tinha problema eu vir.

Mirren senta, seu rosto está pálido.

— Quero ir para casa agora — ela insiste. — Não estou me sentindo bem.

— Por favor, não faça isso, Cady. Tem muita pedra — grita Johnny. — Não devíamos ter te trazido.

— Não sou uma inválida — digo. — Eu sei nadar.

— Não é isso. Não... não é uma boa ideia.

— Por que é uma boa ideia para vocês e não é uma boa ideia para mim? — retruco. Estou quase no alto. Bolhas começam a aparecer nos meus dedos por agarrar a pedra. A adrenalina invade minha corrente sanguínea.

— Estávamos sendo idiotas — diz Gat.

— Estávamos nos exibindo — diz Johnny.

— Desça, por favor. — Mirren está chorando agora.

Eu não desço. Estou sentada, joelhos junto ao peito, na base de onde os meninos pularam. Olho para o mar agitado lá embaixo. Formas escuras escondem-se sob a superfície da água, mas também posso ver um espaço aberto. Se posicionar meu salto corretamente, atingirei águas profundas.

— Sempre faça aquilo que teme! — eu grito.

— É um lema idiota — diz Mirren. — Eu já falei.

Vou provar que sou forte, já que eles me acham doente.

Vou provar que sou corajosa, já que eles me acham fraca.

Está ventando na pedra alta. Mirren chora. Gat e Johnny gritam comigo.

Fecho os olhos e pulo.

O choque da água é elétrico. Estimulante. Minha perna, a esquerda, raspa em uma pedra. Eu afundo,

até o fundo muito rochoso, e

posso ver a base da ilha, e

meus braços e pernas ficam dormentes, mas meus dedos estão frios. Tiras de algas marinhas passam enquanto eu afundo.

E logo estou na superfície novamente, respirando.

Estou bem,

minha cabeça está bem,
ninguém precisa chorar por mim ou se preocupar comigo.
Estou bem,
Estou viva.
Nado até a praia.

ÀS VEZES ME PERGUNTO se a realidade se divide. Em *Vida encantada*, o livro que dei para Gat, existem universos paralelos nos quais diferentes eventos aconteceram com a mesma pessoa. Uma escolha alternativa foi feita, ou um acidente acabou de outra forma. Todos têm réplicas de si mesmos nesses outros mundos. Versões diferentes, com vidas diferentes, sorte diferente.

Variações.

Eu me pergunto, por exemplo, se tem uma variação de hoje em que eu morro me atirando daquele penhasco. Tenho um funeral e minhas cinzas são espalhadas na praia pequena. Um milhão de botões de peônias cercam meu corpo afogado enquanto pessoas choram em suplício e com pesar. Sou um belo cadáver.

Eu me pergunto se tem outra variação em que Johnny se machuca, suas pernas e costas se esmagam contra as pedras. Não conseguimos chamar o resgate e temos que remar de volta no caiaque com os nervos dele rompidos. Conseguimos mandá-lo de helicóptero para o hospital na cidade, mas ele nunca mais vai andar.

Ou uma variação em que não vou com os Mentirosos nos

caiaques. Deixo que me afastem. Eles continuam indo aos lugares sem mim e contando pequenas mentiras. Vamos nos separando, pouco a pouco, e chega um momento em que o idílio de verão está arruinado para sempre.

Parece mais do que provável que essas variações existam.

55

NAQUELA NOITE eu acordo com frio. Chutei os cobertores e a janela está aberta. Eu sento muito rápido e minha cabeça gira.

Uma lembrança.

Tia Carrie, chorando. Curvada, muco escorrendo pelo rosto, sem se preocupar em limpar. Ela está debruçada para a frente, está tremendo, parece que vai vomitar. Está escuro e ela usa uma blusa de algodão branca com uma jaqueta de náilon por cima — de Johnny, xadrez azul.

Por que ela está usando a jaqueta de Johnny?

Por que está tão triste?

Eu levanto e visto um moletom e sapatos. Pego uma lanterna e vou até Cuddledown. A sala está vazia e iluminada pelo luar. Garrafas espalham-se pela bancada da cozinha. Alguém deixou uma maçã cortada ali e ela está ficando marrom. Dá para sentir o cheiro.

Mirren está aqui. Não a tinha visto antes. Ela está debaixo da manta listrada, recostada no sofá.

—Você está acordada — Mirren sussurra.

—Vim procurar vocês.

— Por quê?

— Tive uma lembrança. Tia Carrie estava chorando. Estava usando a jaqueta do Johnny. Você se lembra de ter visto tia Carrie chorando?

— Algumas vezes.

— No verão dos quinze, quando ela tinha aquele cabelo curto?

— Não — responde Mirren.

— Por que não está dormindo? — pergunto.

Mirren sacode a cabeça.

— Não sei.

Eu me sento.

— Posso fazer uma pergunta?

— Claro.

— Preciso que me diga o que aconteceu antes do acidente. E depois. Você sempre diz que não foi nada de mais, mas alguma coisa deve ter acontecido comigo além de bater a cabeça enquanto nadava à noite.

— Ahã.

— Sabe o que foi?

— Penny disse que os médicos não querem que ninguém fale sobre isso. Você vai lembrar no seu próprio ritmo e ninguém deve te pressionar.

— Mas eu estou pedindo, Mirren. Preciso saber.

Ela encosta a cabeça nos joelhos, pensando.

— O que você acha? — Mirren finalmente diz.

— Eu... imagino que tenha sido vítima de alguma coisa.

— É difícil dizer essas palavras. — Acho que fui estuprada,

agredida, ou alguma outra coisa terrível. É esse tipo de coisa que faz as pessoas terem amnésia, não é?

Mirren esfrega os lábios.

— Não sei o que dizer — ela afirma.

— Diga o que aconteceu — eu peço.

— Foi um verão confuso.

— Como?

— É tudo o que posso dizer, minha querida Cady.

— Por que você nunca sai de Cuddledown? — pergunto de repente. — Você quase não sai, exceto para ir à praia pequena.

— Fui andar de caiaque hoje — ela diz.

— Mas você ficou mal. Você tem medo? — pergunto. — Tem agorafobia?

— Eu não me sinto bem, Cady — diz Mirren, na defensiva. — Sinto frio o tempo todo, não consigo parar de tremer. Minha garganta está doendo. Se você se sentisse assim, também não ia querer sair.

Eu me sinto pior do que isso o tempo todo, mas pelo menos dessa vez não menciono minhas dores de cabeça.

— Devíamos contar para a Bess, então. Precisa ir ao médico.

Mirren faz que não com a cabeça.

— É só um resfriado bobo que não sara nunca. Estou reclamando como bebê. Pode pegar um refrigerante para mim?

Não vou mais discutir. Pego um refrigerante para ela e ligamos a televisão.

56

PELA MANHÃ, há um balanço pendurado na árvore do gramado de Windemere. Igual ao que ficava na enorme acerácea na frente de Clairmont.

É perfeito.

Como aquele em que Tipper me balançava.

Meu pai.

Meu avô.

Minha mãe.

Como aquele em que Gat e eu nos beijamos no meio da noite.

Agora lembro que, no verão dos quinze, Johnny, Mirren, Gat e eu nos espremcmos naquele balanço de Clairmont, os quatro. Éramos grandes demais para caber. Demos cotoveladas uns nos outros e mudamos de posição. Rimos e reclamamos. Acusamos uns aos outros de ter bunda grande. Acusamos uns aos outros de não cheirar bem. E mudamos de posição de novo.

Finalmente, nós nos acomodamos. Mas não dava para girar. Estávamos tão apertados que não havia como mover o balanço. Gritamos várias vezes para alguém nos empurrar. As gêmeas passaram e se recusaram a ajudar. Finalmente, Taft e Will saíram de Clairmont e fizeram o que pedimos. Resmungando, eles nos empurraram em um círculo largo. Nosso peso era tanto que depois que nos soltaram, começamos a girar cada vez mais rápido, rindo tanto até ficarmos tontos e enjoados.

Nós, os quatro Mentirosos. Agora me lembro.

★

ESSE NOVO BALANÇO parece forte. Os nós estão amarrados com cuidado.

Dentro do pneu tem um envelope.

É a letra de Gat: *Para Cady*.

Abro o envelope.

Mais de uma dúzia de rosas japonesas secas caem.

57

ERA UMA VEZ um rei que tinha três lindas filhas. Ele lhes dava tudo o que o coração delas desejava e, quando chegou a hora, o casamento delas foi comemorado com muita festividade. Quando a filha mais nova deu à luz uma menina, o rei e a rainha ficaram radiantes. Logo depois, a filha do meio também deu à luz uma menina e as comemorações se repetiram.

Por último, a filha mais velha deu à luz meninos gêmeos, mas infelizmente as coisas não correram como se esperava. Um dos gêmeos era humano, um bebê forte; o outro não passava de um ratinho.

Não houve comemoração. Nenhum anúncio foi feito.

A filha mais velha foi consumida pela vergonha. Um de seus filhos não passava de um animal. Ele nunca brilharia, bronzeado e afortunado, como os membros da família real.

As crianças cresceram, e o ratinho também. Ele era esperto e sempre mantinha os bigodes limpos. Era mais inteligente e mais curioso do que seu irmão ou suas primas.

Ainda assim, causava repulsa ao rei e à rainha. Assim que pôde, sua mãe o preparou, deu a ele uma pequena bolsa com mirtilo e algumas nozes, e o mandou embora para ver o mundo.

O ratinho foi, pois já conhecera o suficiente da vida na corte para saber que, se ficasse em casa, seria para sempre um segredo sujo, uma fonte de humilhação para sua mãe e qualquer um que o conhecesse.

Nem olhou para trás, para o castelo que havia sido seu lar.

Lá, ele nem ao menos tinha um nome.

Agora, estava livre para seguir em frente e fazer um nome para si mesmo no vasto, vasto mundo.

E talvez,
apenas talvez,
voltasse um dia,
para queimar aquela
porra
de palácio.

PARTE QUATRO
Olhe, fogo

58

OLHE.

Fogo.

Lá na ponta sul da ilha Beechwood. Onde fica a acerácea, sobre o amplo gramado.

A casa está queimando. As chamas sobem alto, iluminando o céu.

Não tem ninguém aqui para ajudar.

Ao longe, posso ver os fogos de artifício de Vineyard, atravessando a baía em um barco iluminado.

Ainda mais ao longe, o barco dos bombeiros de Woods Hole move-se ruidosamente na direção do fogo que iniciamos.

Gat, Johnny, Mirren e eu.

Iniciamos esse incêndio e ele está consumindo Clairmont.

Queimando o palácio, o palácio do rei que tinha três lindas filhas.

Nós ateamos fogo.

Eu, Johnny, Gat e Mirren.

Eu me lembro disso agora,
    em uma onda que me atinge com tanta força que eu caio,
    e afundo,
    até o fundo muito rochoso, e

posso ver a base da ilha, e
meus braços e pernas ficam dormentes, mas meus dedos estão frios. Tiras de algas marinhas passam enquanto eu afundo.
E logo estou na superfície novamente, respirando.
E Clairmont está pegando fogo.

ESTOU NA MINHA CAMA em Windemere. Está amanhecendo.
É o primeiro dia da minha última semana na ilha. Vou cambaleando até a janela, enrolada no cobertor.
Lá está a nova Clairmont. Com toda a sua modernidade e o jardim japonês.
Eu a vejo como é agora. Uma casa construída sobre cinzas. Cinzas da vida que meu avô compartilhou com minha avó, cinzas da acerácea onde voava o balanço de pneu, cinzas da antiga casa vitoriana com varanda e rede. A nova casa está construída sobre o túmulo de todos os troféus e símbolos da família: os cartuns da *New Yorker*, os animais empalhados, as almofadas bordadas, os retratos de família.
Nós queimamos tudo.
Em uma noite em que meu avô e os outros tinham saído de barco pela baía,
em que os empregados estavam de folga,
e nós, os Mentirosos, estávamos sozinhos na ilha,
fizemos aquilo que temíamos.
Queimamos não só uma casa, mas um símbolo.
Reduzimos um símbolo a cinzas.

59

A PORTA DE CUDDLEDOWN está trancada. Bato até Johnny aparecer, usando as mesmas roupas da noite anterior.

— Estou fazendo chá arrogante — ele diz.

—Você dormiu de roupa?

— Sim.

— Nós iniciamos um incêndio — digo a ele, ainda parada na porta.

Eles não vão mais mentir. Ir a lugares sem mim, tomar decisões sem mim.

Entendo nossa história agora. Somos criminosos. Um bando de quatro.

Johnny olha nos meus olhos por um bom tempo, mas não diz uma palavra. Por fim, ele se vira e vai para a cozinha. Vou atrás. Johnny coloca água quente da chaleira nas xícaras.

— Do que mais se lembra? — ele pergunta.

Eu hesito.

Posso ver o fogo. A fumaça. Como Clairmont parecia enorme enquanto queimava.

Eu sei, de maneira certa e irrevogável, que ateamos fogo na casa.

Posso ver a mão de Mirren, seu esmalte dourado descascado, segurando um galão de gasolina para os barcos.

Os pés de Johnny correndo pelas escadas de Clairmont até o ancoradouro.

Meu avô, segurando-se em uma árvore, o rosto iluminado pelo brilho de uma fogueira.

Não. Corrigindo.

Pelo brilho de sua casa sendo consumida pelo fogo.

Essas são lembranças que tive o tempo todo. Apenas sei onde encaixá-las agora.

— Não me lembro de tudo — digo a Johnny. — Só sei que iniciamos o incêndio. Posso ver as chamas.

Ele se deita no chão da cozinha e estica os braços sobre a cabeça.

—Você está bem? — pergunto.

— Estou cansado pra caralho, se quer saber. — Johnny se vira com o rosto para baixo e encosta o nariz no ladrilho. — Elas disseram que não se falariam mais — ele murmura junto ao chão. — Disseram que estava tudo acabado e que iam se desligar umas das outras.

— Quem?

— As tias.

Eu me deito no chão ao lado dele para poder ouvir o que está dizendo.

—As tias se embebedavam, toda noite — Johnny murmura, como se fosse difícil expelir as palavras. — E ficavam cada vez mais bravas. Gritando umas com as outras. Cambaleando sobre o gramado. Vovô não fazia nada além de dar corda. Nós as víamos brigando pelas coisas da vovó e os objetos de arte de Clairmont, mas propriedades e dinheiro acima de tudo. Vovô estava embriagado com seu próprio poder e minha mãe queria me fazer brigar pelo dinheiro. Porque eu era o menino mais velho. Ela me pressionou, me pressionou... eu não sei. A ser o jovem e brilhante herdeiro. A falar mal de você como a mais velha. A ser a esperança branca e educada do futuro da democracia, um monte de bobagem. Ela tinha perdido o favoritismo do vovô e queria que eu o ganhasse para não perder sua herança.

Conforme ele fala, lembranças piscam em meu crânio, com tanta força e clareza que machucam. Eu me encolho e coloco as mãos sobre os olhos.

— Lembra mais alguma coisa do incêndio? — ele pergunta com calma. — As lembranças estão voltando?

Fecho os olhos por um instante e tento.

— Não, isso não. Mas outras coisas.

Johnny estende o braço e pega minha mão.

60

NA PRIMAVERA ANTERIOR AO VERÃO DOS QUINZE, minha mãe me fez escrever para meu avô. Nada ostensivo. "Estou pensando no senhor e em sua perda. Espero que esteja bem."

Mando cartões de verdade, de uma cartolina grossa de cor creme com CADENCE SINCLAIR EASTMAN impresso no alto. *Querido vovô, acabei de participar de uma jornada de cinco quilômetros de bicicleta pela pesquisa do câncer. A equipe de tênis começa semana que vem. Nosso clube do livro está lendo* Memórias de Brideshead. *Te amo.*

— Lembre seu avô de que você se importa — disse minha

mãe. — E de que você é uma boa pessoa. Madura, alguém que acrescenta algo à família.

Eu reclamei. Escrever parecia falsidade. É claro que eu me importava. Amava meu avô e pensava nele. Mas não queria escrever lembretes da minha excelência a cada duas semanas.

— Ele anda muito impressionável — disse minha mãe. — Está sofrendo. Pensando no futuro. Você é a primeira neta.

— Johnny é só três semanas mais novo.

— É disso que estou falando. Johnny é menino e apenas três semanas mais novo. Então escreva a carta.

Fiz o que ela pediu.

NO VERÃO DOS QUINZE em Beechwood, as tias assumiram o papel da minha avó, fazendo bolos invertidos e ficando em cima do meu avô como se ele não estivesse vivendo sozinho em Boston desde que Tipper morrera, em outubro. Mas não paravam de discutir. Não tinham mais a cola da minha avó mantendo-as juntas, e brigavam pelas lembranças, pelas joias, pelas roupas no armário, até mesmo pelos sapatos. Essas questões não haviam sido resolvidas em outubro. Todos ainda estavam muito sensíveis. Tudo havia sido deixado para o verão. Quando chegamos em Beechwood, no fim de junho, Bess já havia feito o inventário dos bens da minha avó em Boston e estava começando a listar os de Clairmont. Todas tinham uma cópia no tablet e a verificavam regularmente.

— Sempre amei aquele enfeite de Natal de jade.
— Fico surpresa por você se lembrar dele, já que nunca ajudou na decoração.
— Quem você acha que desmontava a árvore? E embalava todos os enfeites em papel de seda?
— Ah, que sofredora.
— Aqui estão os brincos de pérola que mamãe prometeu para mim.
— As pérolas negras? Ela disse que *eu* podia ficar com elas.

As tias começaram a arrumar confusão conforme o verão ia passando. Uma briga atrás da outra. Feridas antigas eram retomadas e encadeadas a novas.

Variações.

— Diga ao seu avô que adora as toalhas de mesa bordadas — minha mãe me disse.
— Mas eu não adoro.
— Ele não diria não a você.

Nós duas estávamos sozinhas na cozinha de Windemere. Ela estava bêbada.

— Você me ama, não é, Cadence? Você é tudo o que tenho agora. Não é como seu pai.
— Só não ligo para toalhas de mesa.
— Então minta. Fale com ele sobre as toalhas da casa de Boston. Aquelas creme com bordados.

Era mais fácil dizer a ela que eu faria.

E, depois, dizer que eu tinha feito.

Mas Bess tinha pedido para Mirren fazer a mesma coisa, e nenhuma de nós duas

implorou ao vovô
pela porra das toalhas de mesa.

61

GAT E EU FOMOS NADAR à noite. Deitamos na passagem de madeira e ficamos olhando as estrelas. Nos beijamos no sótão. Nos apaixonamos.
Ele me deu um livro. *Com tudo, tudo.*
Não falamos sobre Raquel. Eu não podia perguntar. Ele não contou.
As gêmeas fazem aniversário em catorze de julho, e sempre há uma refeição farta. Nós doze estávamos sentados à longa mesa no gramado de Clairmont. Lagostas e batatas com caviar. Panelinhas com manteiga derretida. Legumes em miniatura com manjericão. Dois bolos, um de baunilha e um de chocolate, aguardavam dentro de casa, sobre a bancada da cozinha.
Os pequenos faziam barulho com as lagostas, cutucando uns aos outros com as garras e sugando a carne das patas. Johnny contava histórias. Mirren e eu ríamos. Ficamos surpresos quando meu avô se aproximou e se enfiou entre mim e Gat.
— Quero pedir o conselho de vocês a respeito de uma coisa — ele disse. — O conselho dos jovens.
— Somos jovens cosmopolitas e incríveis — disse Johnny.
— Então veio à ponta certa da mesa.

— Sabem — disse meu avô —, eu estou ficando velho, apesar da minha boa aparência.

— Ah, tá — eu disse.

— Thatcher e eu estamos analisando meus negócios. Estou pensando em deixar uma boa porção dos meus bens para minha *alma mater*.

— Para Harvard? Para quê, pai? — perguntou minha mãe, que havia se aproximado e estava atrás de Mirren.

Meu avô sorriu.

— Provavelmente para fundar um centro acadêmico. Eles colocariam meu nome nele, bem na frente. — Meu avô cutucou Gat. — Como deveria chamar, meu jovem? O que você acha?

— Centro Harris Sinclair? — Gat arriscou.

— Pff. — Meu avô sacudiu a cabeça. — Podemos pensar em algo melhor. Johnny?

— Centro Sinclair de Socialização — Johnny disse, enfiando abobrinha na boca.

— E petiscos — acrescentou Mirren. — Centro Sinclair de Socialização e Petiscos.

Meu avô bateu na mesa.

— Gosto do nome. Não é educativo, mas todo mundo vai gostar. Estou convencido. Vou ligar para Thatcher amanhã. Meu nome estará no prédio preferido dos alunos.

— Você vai ter que morrer antes de construírem o prédio — eu disse.

— É verdade. Mas você não vai ficar orgulhosa de ver meu nome lá quando estiver na faculdade?

— Você não vai morrer antes de irmos para a faculdade — disse Mirren. Não vamos deixar.

— Ah, se vocês insistem... — Meu avô espetou um pedaço de lagosta do prato dela e comeu.

Fomos envolvidos facilmente, Mirren, Johnny e eu — sentindo o poder que ele nos conferiu ao nos descrever em Harvard, a distinção de pedir nossa opinião e rir de nossas piadas. Era assim que meu avô sempre nos tratava.

— Você não está sendo engraçado, pai — minha mãe retrucou. — Arrastando as crianças para esse assunto.

— Não somos crianças — eu disse a ela. — Entendemos a conversa.

— Não, não entendem — ela disse —, ou não embarcariam no papo dele.

Uma sensação de frio percorreu a mesa. Até os pequenos ficaram quietos.

Carrie vivia com Ed. Os dois compravam obras de arte que podiam ou não se tornar valiosas. Johnny e Will estudavam em escola particular. Carrie havia aberto uma loja de bijuterias com o dinheiro de seu fundo e a administrado por alguns anos, até a falência. Ed trabalhava e a sustentava, mas Carrie não tinha renda própria. E eles não eram casados. Ele era dono do apartamento em que moravam, não ela.

Bess estava criando quatro filhos sozinha. Ela tinha algum dinheiro de seu fundo, assim como minha mãe e Carrie, mas quando se divorciou Brody ficou com a casa. Ela nunca trabalhou depois que se casou, e antes disso só havia sido assistente na redação de uma revista. Bess estava vivendo do dinheiro de seu fundo e acabando com ele.

E minha mãe. Criação de cães não dá muito dinheiro, e meu pai queria que vendêssemos a casa de Burlington para ele ficar com metade do dinheiro. Eu sabia que minha mãe estava vivendo do fundo dela.

Nós.

Nós estávamos vivendo do fundo dela.

Não duraria para sempre.

Então, quando meu avô disse que podia deixar seu dinheiro para Harvard construir um centro acadêmico e pediu nossa opinião, não estava envolvendo a família em seus planos financeiros.

Estava fazendo uma ameaça.

62

ALGUMAS NOITES DEPOIS. Drinques em Clairmont. Começou às seis ou seis e meia, na hora em que as pessoas subiram a colina até a casa. A cozinheira estava preparando o jantar e tinha feito mousse de salmão com bolachinhas salgadas. Passei por ela e tirei uma garrafa de vinho branco da geladeira para as tias.

Os pequenos, depois de terem passado a tarde toda na praia maior, estavam sendo obrigados a tomar banho e trocar de roupa por Gat, Johnny e Mirren em Red Gate, onde havia um chuveiro externo. Minha mãe, Bess e Carrie estavam sentadas em volta da mesa de centro de Clairmont.

Levei taças de vinho para as tias e meu avô entrou.

— E então, Penny — ele disse, servindo-se de uísque do decânter sobre o aparador. — Como você e Cady estão em Windemere este ano, nas novas circunstâncias? Bess se preocupa que estejam solitárias.

— Eu não falei isso — disse Bess.

Carrie apertou os olhos.

— Sim, falou — meu avô disse a Bess. Ele fez um sinal para eu sentar. — Você falou dos cinco quartos, da cozinha reformada e de como Penny está sozinha agora e não precisa de nada disso.

— Você disse isso, Bess? — Minha mãe respirou fundo.

Bess não respondeu. Ela mordeu o lábio e ficou olhando para a paisagem.

— Não estamos solitárias — minha mãe disse ao meu avô. — Adoramos Windemere, não é, Cady?

Meu avô sorriu para mim.

— Você está bem lá, Cadence?

Eu sabia o que devia dizer:

— Estou mais do que bem lá, estou ótima. Adoro Windemere, porque você construiu aquela casa especialmente para minha mãe. Quero criar meus filhos lá, e que meus filhos criem os deles. Você é demais, vovô. É o patriarca, e eu venero o senhor. Estou tão feliz por ser uma Sinclair. Essa é a melhor família dos Estados Unidos.

Não com essas palavras. Mas eu devia ajudar minha mãe a ficar com a casa dizendo para meu avô que ele era o maioral, que era a causa de toda a nossa felicidade, e lembrar que eu era o futuro da família. Nós, os Sinclair cem por cento americanos, nos perpetuaríamos, altos e brancos e belos e ricos, se ele me deixasse ficar com minha mãe em Windemere.

Eu devia fazer meu avô se sentir no controle quando seu mundo estava mudando devido à morte da minha avó. Devia implorar através de elogios, nunca reconhecendo a agressão por trás de sua pergunta.

Minha mãe e suas irmãs eram dependentes de meu avô e seu dinheiro. Tiveram a melhor educação, inúmeras oportunidades, milhares de conexões, e ainda assim acabaram incapazes de se sustentar. Nenhuma delas fez nada útil no mundo. Nada necessário. Nada corajoso. Ainda eram garotinhas tentando cair nas graças do papai. Ele era o pão e a manteiga delas, o leite e o mel também.

— É grande demais para nós — eu disse ao meu avô.

Ninguém disse nada enquanto eu saía da sala.

63

MINHA MÃE E EU ficamos em silêncio durante a caminhada de volta a Windemere depois do jantar. Assim que entramos e fechamos a porta, ela se virou para mim.

— Por que não me ajudou com seu avô? Quer que a gente perca a casa?

— Não precisamos dela.

— Eu escolhi a tinta, os azulejos. Pendurei a bandeira na varanda.

— Temos cinco quartos.

— Achamos que teríamos uma família maior. — Minha mãe franziu o rosto. — Mas não deu certo. Isso não quer dizer que a gente não mereça a casa.

— Mirren e os outros podiam aproveitar o espaço.

— Esta é a *minha* casa. Não pode esperar que eu abra mão dela porque Bess tem um monte de filhos e deixou o marido. Não pode achar certo ela roubar a casa de mim. Esse lugar é nosso, Cadence. Temos que proteger nossas coisas.

— Está ouvindo o que está dizendo? — retruquei. — Você tem um fundo de investimento!

— O que uma coisa tem a ver com a outra?

— Tem gente que não tem nada. Nós temos tudo. A única pessoa que usava o dinheiro da família para caridade era a vovó. Agora ela se foi e todo mundo só está preocupado com as pérolas dela, os enfeites, a herança. Ninguém está tentando usar o dinheiro para algo bom. Ninguém está tentando melhorar o mundo.

Minha mãe se levantou.

— Você se acha muito superior, não é? Acha que entende o mundo melhor do que eu. Ouvi Gat falando. Vi você devorando as palavras dele como se fosse sorvete. Só que você nunca pagou contas, nunca teve uma família, nunca foi dona de uma propriedade, nunca viu o mundo. Você não tem ideia do que está falando, e ainda assim não faz nada além de julgar.

— Você está destruindo esta família porque acha que merece a casa mais bonita.

Minha mãe caminhou até a base das escadas.

— Você vai voltar a Clairmont amanhã. Vai dizer ao seu avô que ama Windemere. Dizer a ele o quanto ama Windemere. Dizer a ele que quer que seus filhos passem o verão aqui. Você vai dizer isso a ele.

— Não. Você devia enfrentar vovô. Pedir para ele parar de manipular vocês. Ele só está agindo assim porque está triste com a perda da vovó, você não percebe? Não pode ajudar? Ou arrumar um emprego e não se importar com o dinheiro dele? Ou dar a casa para Bess?

— Escute uma coisa, mocinha. — A voz da minha mãe era grave. — Você vai falar com seu avô sobre Windemere ou eu te mando passar o resto do verão com seu pai no Colorado. Faço isso amanhã. Juro que te levo para o aeroporto logo cedo. Você não vai mais ver aquele seu namorado. Está entendendo?

Ela me ganhou ali.

Sabia sobre mim e Gat. E podia afastá-lo.

Ia afastá-lo.

Eu estava apaixonada.

Prometi tudo o que ela pediu.

Quando disse ao meu avô que adorava a casa, ele sorriu e disse que sabia que um dia eu teria lindos filhos. Depois disse que Bess era gananciosa e ele não tinha a mínima intenção de dar a casa para ela. Mas então Mirren me contou que ele tinha prometido Windemere para Bess.

— Eu vou cuidar de você — meu avô dissera. — Só me dê um tempinho para tirar Penny de lá.

64

GAT E EU fomos para a quadra de tênis alguns dias depois da briga com minha mãe. Jogamos bolas para Fatima e Príncipe Philip em silêncio.

Finalmente, ele disse:

— Você já percebeu que Harris nunca me chama pelo nome?

— Não.

— Ele me chama de "meu jovem". Tipo, "Como foi o ano na escola, meu jovem?".

— Por quê?

— Parece que, se me chamasse de *Gat*, estaria na verdade dizendo: "Como foi o ano na escola, garoto indiano cujo tio indiano vive em pecado com minha filha branca e pura? Garoto indiano que peguei beijando minha preciosa Cadence?".

— Acha que é isso que ele está pensando?

— Ele não me suporta — disse Gat. — Não mesmo. Pode gostar de mim como pessoa, pode até gostar do Ed, mas não é capaz de dizer meu nome nem de olhar nos meus olhos.

Era verdade. Agora que ele tinha dito, eu percebia.

— Não estou dizendo que ele quer ser o cara que só gosta de gente branca — Gat continuou. — Ele sabe que não deve ser esse cara. Ele é democrata, votou no Obama, mas isso não quer dizer que se sinta confortável tendo pessoas de cor dentro de sua bela família. — Gat sacudiu a cabeça. — Ele é falso com a gente. Não gosta da ideia de Carrie estar com meu tio. Ele nem chama Ed de *Ed*. Chama de "senhor". E faz questão de lembrar que sou um forasteiro sempre que aparece uma chance. — Gat acariciou as orelhas macias de Fatima. — Você viu como foi aquele dia no sótão. Ele quer que eu fique bem longe de você.

Eu não tinha enxergado a interrupção do meu avô dessa forma. Tinha achado que ele havia ficado constrangido ao pegar a gente se beijando.

Mas agora, de repente, entendi o que tinha acontecido.

Cuidado, meu jovem, meu avô tinha dito. Cuidado com a cabeça. Você pode se machucar.

Era outra ameaça.

— Sabia que meu tio pediu Carrie em casamento no outono? — Gat perguntou.

Fiz que não com a cabeça.

— Eles estão juntos há quase nove anos. Ele é como um pai para Johnny e Will. Ele se ajoelhou e a pediu em casamento, Cady. Eu, Johnny e Will estávamos lá, e a minha mãe. Decorou o apartamento com velas e rosas. Todos nos vestimos de branco e havia comida de um restaurante italiano que Carrie adora. Ele colocou Mozart para tocar. Johnny e eu até perguntamos o motivo de tudo aquilo. *Ela mora com você, cara.* Mas meu tio estava nervoso. Ele comprou um anel de diamantes. Bem, aí ela chegou e nós quatro ficamos escondidos no quarto do Will. Era para sairmos correndo e desejando felicidades. Mas Carrie disse *não*.

— Achei que eles não quisessem casar.

— Meu tio quer. Carrie não quer arriscar sua herança idiota — Gat disse.

— Ela ao menos perguntou ao meu avô?

— Aí é que está — disse Gat. — Todo mundo sempre consulta Harris para tudo. Por que uma mulher adulta tem que pedir aprovação do pai para se casar?

— Meu avô não a impediria.

— Não — disse Gat. — Mas, quando Carrie foi morar com Ed, Harris deixou claro que todo o dinheiro que seria destinado a ela desapareceria se casasse com ele. A questão é que Harris não gosta da cor do meu tio. Ele é um cretino racista, assim como Tipper era. Sim, eu gosto dos dois por uma série de razões, e eles sempre foram mais do que generosos me deixando vir para cá todo verão. Estou disposto até a achar que Harris nem *percebe* por que não gosta do meu tio, mas o fato é que não gosta o suficiente para deserdar sua filha mais velha.

Gat suspirou. Eu adorava a curva de seu queixo, o buraco em sua camiseta e os bilhetes que escrevia para mim, o modo como sua cabeça funcionava, como ele movimentava as mãos enquanto falava. Imaginava, na época, que o conhecia completamente.

Eu me aproximei e o beijei. Ainda parecia tão mágico poder fazer aquilo, e o fato de ser correspondida. Tão mágico que mostrássemos nossas fraquezas um ao outro, nossos medos e nossa fragilidade.

— Por que nunca falamos sobre isso? — sussurrei.

Gat me beijou novamente.

— Eu amo esse lugar — ele disse. — A ilha. Johnny e Mirren. As casas e o som do mar. Você.

— Eu também.

— Parte de mim não quer estragar tudo isso. Não quer nem imaginar que não seja perfeito.

Entendi como ele se sentia.

Ou achei que entendesse.

Gat e eu descemos até a costa, depois caminhamos até uma grande pedra lisa de frente para o porto. A água batia no litoral. Nós nos abraçamos, tiramos parte da roupa e esquecemos, pelo maior tempo possível, todos os detalhes horríveis da bela família Sinclair.

65

ERA UMA VEZ um mercador rico que tinha três lindas filhas. Ele as paparicava tanto que as duas meninas mais novas passavam quase o dia todo apreciando a própria beleza diante do espelho e beliscando as bochechas para deixá-las rosadas.

Um dia o mercador teve que partir em uma jornada. "O que devo trazer para vocês quando voltar?", ele perguntou.

A filha mais nova pediu vestidos de seda e renda.

A filha do meio pediu rubis e esmeraldas.

A filha mais velha pediu apenas uma rosa.

O mercador ficou fora durante vários meses. Para a filha mais nova, encheu um baú com vestidos de todas as cores. Para a filha do meio, vasculhou os mercados em busca de joias. Mas, apenas quando já estava perto de casa, lembrou-se da promessa de levar uma rosa para a filha mais velha.

Ele encontrou uma grande cerca de ferro que se estendia ao longo da estrada. Ao longe ficava uma mansão escura, e ele ficou satisfeito ao ver uma roseira cheia de flores vermelhas. Várias delas estavam ao seu alcance.

Cortar a flor levou um minuto. O mercador estava guardando a rosa em seu alforje quando um rugido zangado o impediu.

Um sujeito coberto por um manto apareceu onde o mercador tinha certeza de que não havia ninguém um segundo antes. Ele era enorme e falava com uma voz muito grave. "Está pegando algo meu sem nenhuma intenção de pagamento?"

"Quem é você?", o mercador perguntou, tremendo.

"Basta dizer que sou aquele de quem você roubou."

O mercador explicou que havia prometido uma rosa à filha depois de uma longa viagem.

"Pode ficar com sua rosa roubada", disse o sujeito, "mas, em troca, terá de me dar a primeira de suas riquezas que vir ao retornar." Ele então tirou o capuz e revelou o rosto de uma fera horrenda, cheia de dentes, com um focinho. Um javali selvagem misturado com um chacal.

"Você me importunou uma vez", disse a fera. "Morrerá se me importunar novamente."

O mercador voltou para casa tão rápido quanto seu cavalo podia correr. Ainda estava a um quilômetro de distância quando viu sua filha mais velha esperando por ele na estrada. "Tivemos notícias de que chegaria hoje à noite!", ela gritou, correndo para os braços dele.

Ela era a primeira de suas riquezas que ele viu ao retornar. Agora sabia o preço que a fera havia exigido.

E depois?

Todos sabemos que a Bela acabou amando a Fera. Ela acaba se apaixonando por ele, independentemente do que sua família pudesse achar, por seu charme, sua educação, seu conhecimento de arte e seu coração sensível.

Na verdade, ele é humano e sempre foi. Nunca foi nenhum javali ou chacal. Era apenas uma ilusão repugnante.

O problema é que é extremamente difícil convencer o pai disso.

Ele vê as presas e o focinho, ouve o terrível rugido, sempre que a Bela leva seu novo marido para visitá-lo. Não importa o quanto ele seja civilizado e erudito. Não importa o quanto seja gentil.

O pai vê um animal selvagem, e sua repugnância sempre estará ali.

66

UMA NOITE, no verão dos quinze, Gat jogou pedrinhas na janela do meu quarto. Coloquei a cabeça para fora e o encontrei parado entre as árvores, o luar refletindo em sua pele, os olhos brilhantes.

Ele estava esperando por mim no último degrau da varanda.

— Estou com desejo de chocolate — ele sussurrou. — Vou invadir a despensa de Clairmont. Quer vir?

Fiz que sim e andamos juntos pelo caminho estreito, dedos entrelaçados. Demos a volta pela entrada lateral de Clairmont, que levava a um quartinho repleto de raquetes de tênis e toalhas de praia. Com uma mão na porta de tela, Gat se virou e me puxou para mais perto.

Seus lábios quentes estavam junto aos meus,
nossas mãos ainda estavam dadas,
lá, na porta da casa.

Por um instante, nós dois estávamos sozinhos no planeta, com toda a vastidão do céu e o futuro e o passado se espalhando à nossa volta.

Pisando na ponta dos pés, entramos no quartinho e depois na grande despensa que se abria para a cozinha. O cômodo era antigo, com pesadas gavetas de madeira e prateleiras para acomodar vidros de geleia e picles na época em que a casa foi construída. Agora armazenava biscoitos, caixas de vinho, batatinhas, legumes, água com gás. Deixamos as luzes apagadas, caso alguém entrasse na cozinha, mas sabíamos que apenas meu avô estava dormindo em Clairmont. Ele não ouviria nada. Usava aparelho auditivo durante o dia.

Estávamos explorando quando ouvimos vozes. Eram as tias entrando na cozinha, com vozes arrastadas e tom histérico.

— É por isso que as pessoas se matam — disse Bess com amargura. — Eu devia sair daqui antes de fazer algo de que me arrependa.

— Você não está falando sério — disse Carrie.

— Não me diga o que pensar! — gritou Bess. — Você tem Ed. Não precisa de dinheiro como eu.

— Você já colocou as garras na casa de Boston — disse minha mãe. — Deixe a ilha em paz.

— Quem organizou o funeral da mamãe? — retrucou Bess. — Quem ficou ao lado do papai durante semanas?

Quem providenciou a papelada, falou com todos os que compareceram, escreveu os bilhetes de agradecimento?

— Você mora perto dele — disse minha mãe. — Estava bem ali.

— Eu estava cuidando de uma casa com quatro crianças e tentando manter um emprego — disse Bess. —Vocês não estavam fazendo nada.

— Um emprego de meio período — disse minha mãe. — E, se eu ouvir você falar *quatro crianças* de novo, vou gritar.

— Eu também estava cuidando de uma casa — disse Carrie.

— Qualquer uma das duas podia ter ido passar uma semana ou duas com ele. Deixaram tudo nas minhas costas — disse Bess. — Tive que lidar com papai o ano todo. Eu que corro para lá quando ele precisa de ajuda. Eu que lido com sua caduquice e seu luto.

— Não fale assim — disse Carrie. — Você não sabe quantas vezes ele me liga. Não sabe o que preciso engolir pra ser uma boa filha.

— Então é claro que quero aquela casa — continuou Bess, como se ela não tivesse escutado. — Eu fiz por merecer. Quem levava a mamãe ao médico? Quem ficou ao lado da cama dela?

— Não é justo — disse minha mãe. — Você sabe que fui até lá. Carrie foi também.

— Visitar — rebateu Bess.

— Você não precisava fazer tudo aquilo — disse minha mãe. — Ninguém pediu.

— Não tinha mais ninguém lá. Vocês me deixaram fazer, e nunca agradeceram. Estamos apinhados em Cuddledown, que é a casa com a pior cozinha. Vocês nunca vão lá. Ficariam surpresas com a situação em que está. Não tem quase valor nenhum. Mamãe arrumou a cozinha de Windemere antes de morrer, e os banheiros de Red Gate, mas Cuddledown está como sempre foi. E aqui estão vocês duas, me negando uma compensação por tudo o que fiz e continuo fazendo.

— Você concordou com os projetos de Cuddledown — Carrie a censurou. — Queria a vista. Tem a única casa de frente para a praia, Bess. E tem toda a aprovação e a devoção do papai. Achei que bastasse. Só Deus sabe como é algo impossível para nós duas.

— Você prefere não ter — disse Bess. — Escolheu Ed; prefere viver com ele. Prefere trazer Gat aqui todos os verões, quando sabe que ele não é um de nós. Sabe como papai pensa, e não só continua com Ed como também traz o sobrinho dele para cá e fica desfilando como uma garotinha rebelde com um brinquedo proibido. Seus olhos estiveram bem abertos o tempo todo.

— Pare de falar do Ed! — gritou Carrie. — Cala essa boca, cala a boca.

Ouvimos um tapa. Carrie bateu na boca de Bess.

Bess saiu, batendo a porta.

Minha mãe saiu também.

Gat e eu ficamos sentados no chão da despensa, de mãos dadas. Tentando não respirar, tentando não nos mover enquanto Carrie colocava os copos na lava-louças.

67

ALGUNS DIAS DEPOIS, meu avô chamou Johnny em seu escritório de Clairmont. Pediu que lhe fizesse um favor.

Johnny disse não.

Meu avô disse que esvaziaria a poupança para a faculdade de Johnny se ele não fizesse o que estava pedindo.

Johnny disse que não ia interferir na vida amorosa de sua mãe e que podia muito bem estudar em uma faculdade pública.

Meu avô ligou para Thatcher.

Johnny contou para Carrie.

Carrie pediu para Gat parar de jantar em Clairmont.

— Está irritando Harris — ela disse. — Seria melhor para todos se você fizesse um macarrão e comesse em Red Gate, ou posso pedir para Johnny trazer um prato depois. Você entende, não é? É só até as coisas se resolverem.

Gat não entendia.

Johnny também não.

Todos nós, os Mentirosos, paramos de comer lá.

Logo depois, Bess pediu para Mirren pressionar um pouco mais meu avô a respeito de Windemere. Ela devia levar Bonnie, Liberty e Taft para falar com ele em seu escritório. Eles eram o futuro da família, Mirren devia dizer. As notas de Johnny e Cady em matemática não eram suficientes para entrar em Harvard, mas as de Mirren, sim. Era Mirren quem tinha uma mente voltada para os negócios e era a verdadeira herdeira de tudo o que vovô valorizava. Johnny e Cady eram fúteis demais. E esses lindos pequenos! As lindas gêmeas loiras, o sardento Taft. Eles eram Sinclair dos pés à cabeça.

Fale tudo isso, disse Bess. Mas Mirren não quis.

Bess tomou seu celular, seu laptop e sua mesada.

Mirren não quis.

Uma noite, minha mãe perguntou sobre mim e Gat.

— Seu avô sabe que tem alguma coisa acontecendo entre vocês dois. E não está feliz com isso.

Eu disse a ela que estava apaixonada.

Ela me disse para deixar de ser boba.

— Está arriscando seu futuro — disse. — Nossa casa. Sua educação. Em nome de quê?

— Amor.

— Uma paixonite de verão. Deixe o menino em paz.

— Não.

— O amor não dura, Cady. Você sabe disso.

— Não sei.

— Bem, acredite em mim. Não dura.

— Não somos você e o papai — eu disse.

Minha mãe cruzou os braços.

— Cresça, Cadence. Veja o mundo como ele é, não como você queria que fosse.

Olhei para ela. Minha mãe, adorável e alta, com lindos cachos e uma boca rígida e amarga. Suas veias nunca estavam abertas. Seu coração nunca saltava e caía, desprotegido, sobre o gramado. Ela nunca derretia e virava uma poça. Era normal. Sempre. A qualquer custo.

— Para o bem da família — ela acabou dizendo —, você vai romper com ele.

— Não vou.

— Você precisa. E, quando terminar, faça com que seu avô saiba. Diga que não significa nada e que *nunca* significou nada. Diga que ele não precisa mais se preocupar com aquele garoto e depois converse com ele sobre Harvard, a equipe de tênis e o futuro que você tem pela frente. Está entendendo?

Não entendia e não faria aquilo.

Sai correndo de casa, para os braços de Gat.

Sangrei sobre ele e ele não achou ruim.

MAIS TARDE, naquela mesma noite, Mirren, Gat, Johnny e eu descemos até o galpão de ferramentas que ficava atrás de Clairmont. Encontramos martelos. Só havia dois, então Gat pegou um alicate e eu peguei uma tesoura de poda.

Pegamos o ganso de marfim de Clairmont, os elefantes de Windemere, os macacos de Red Gate e o sapo de Cuddledown. Levamos tudo para o cais no escuro e os estraçalhamos com os martelos, o alicate e a tesoura, até o marfim se transformar em pó.

Gat encheu um balde com a água fria do mar e limpou todo o cais.

68

NÓS PENSAMOS.

Conversamos.

E se, dissemos,

e se,

em outro universo,

numa realidade paralela,

Deus apontasse o dedo e

fulminasse Clairmont com um raio?

E se

Deus a incendiasse?

Assim, puniria os gananciosos, os insignificantes, os preconceituosos, os ordinários, os cruéis.

Eles se arrependeriam de seus feitos.

E, depois disso, aprenderiam a se amar novamente.

A abrir sua alma. Abrir suas veias. Apagar seu sorriso falso.

Ser uma família. Agir como uma família.

Não era algo religioso, da maneira como pensávamos.

Mas ao mesmo tempo era.

Castigo.

Purificação pelas chamas.

Ou ambos.

69

NO DIA SEGUINTE, fim de julho do verão dos quinze, houve um almoço em Clairmont. Mais um almoço como todos, servido na mesa grande. Mais lágrimas.

As vozes eram tão altas que nós, os Mentirosos, subimos a passagem de Red Gate e ficamos na frente do jardim, escutando.

— Tenho que reconquistar seu amor todos os dias, pai — minha mãe disse com a voz arrastada. — E quase sempre falho. Não é justo, porra. Carrie fica com as pérolas, Bess fica com a casa de Boston, Bess fica com Windemere. Carrie tem Johnny, e você vai deixar Clairmont para ele, sei que vai. Eu vou ficar sem nada, nada, embora Cady devesse ser a escolhida. A primeira, você sempre disse.

Meu avô se levantou da cadeira à cabeceira da mesa.

— Penelope.

— Vou levar Cady embora, está me ouvindo? Ela vai comigo e vocês não vão se ver nunca mais.

A voz do meu avô explodiu através do pátio.

— Estamos nos Estados Unidos da América — ele disse. — Você parece não entender isso, Penny, então me deixe explicar. Aqui as coisas funcionam da seguinte maneira: nós trabalhamos pelo que queremos, e saímos na frente. Nunca aceitamos *não* como resposta, e somos recompensados por nossa perseverança. Will, Taft, vocês estão ouvindo?

Os meninos fizeram que sim com a cabeça, com o queixo trêmulo. Meu avô continuou:

— Nós, os Sinclair, somos uma família nobre e antiga. É algo de que se orgulhar. Nossas tradições e nossos valores formam a base que sustentará as futuras gerações. Esta ilha é nosso lar, como foi do meu pai e do meu avô. E ainda assim vocês, três mulheres, com seus divórcios, lares corrompidos, seu desrespeito pela tradição, sua falta de ética de trabalho, não fizeram nada além de decepcionar um velho que pensou que tinha criado as filhas corretamente.

— Pai, por favor... — disse Bess.

— Fique quieta! — berrou meu avô. — Você *não pode* esperar que eu aceite tamanha falta de consideração pelos valores dessa família e ainda recompense vocês e seus filhos com segurança financeira. Não podem, nenhuma de vocês pode esperar isso. E mesmo assim, dia após dia, vejo vocês fazendo isso. Não vou mais tolerar.

Bess se desfez em lágrimas.

Carrie agarrou Will pelo cotovelo e andou na direção do cais.

Minha mãe arremessou sua taça de vinho contra a lateral da casa.

70

— O QUE ACONTECEU DEPOIS? — pergunto a Johnny. Ainda estamos deitados no chão de Cuddledown, de manhã cedo. No verão dos dezessete.

—Você não lembra? — ele pergunta.

— Não.

— Todo mundo começou a sair da ilha. Carrie levou Will para um hotel em Edgartown e pediu que eu e Gat fôssemos para lá assim que fizéssemos as malas. Os empregados partiram às oito. Sua mãe foi visitar aquela amiga dela em Vineyard...

— Alice?

— Isso, Alice veio buscar sua mãe, mas você não quis ir. E por fim ela teve que ir sozinha. Vovô foi embora para a cidade. E foi aí que tomamos a decisão do incêndio.

— Nós planejamos tudo — digo.

— Planejamos. Convencemos Bess a pegar o barco grande e levar os pequenos para ver um filme em Vineyard.

Conforme Johnny fala, as lembranças se formam. Vou preenchendo detalhes que ele não contou em voz alta.

— Quando eles saíram, bebemos o vinho que tinham deixado na geladeira — diz Johnny. — Quatro garrafas abertas. E Gat estava tão bravo...

— Ele estava certo — digo.

Johnny vira o rosto e fala para o chão novamente.

— Porque ele não voltaria mais. Se minha mãe casasse com o Ed, eles seriam cortados. E, se minha mãe rompesse com Ed, Gat não teria mais nenhuma conexão com nossa família.

— Clairmont era como um símbolo de tudo o que estava errado. — É a voz de Mirren. Ela foi tão silenciosa ao entrar que nem escutei. Agora está deitada no chão ao lado de Johnny, segurando sua outra mão.

— O centro do patriarcado — diz Gat. Também não o ouvi entrar. Ele se deita ao meu lado.

—Você é tão besta, Gat — diz Johnny de maneira amigável. — Sempre diz *patriarcado*.

— É o que quero dizer.

—Você usa essa palavra sempre que pode. Patriarcado na torrada. Patriarcado na minha calça. Patriarcado com gotas de limão.

— Clairmont era como o centro do patriarcado — repete Gat. — E, sim, estávamos muito bêbados. E, sim, achamos que eles tinham destruído a família e que eu nunca mais voltaria. Imaginamos que, se a casa fosse destruída e a papelada e os registros que havia lá dentro também, se todos os objetos pelos quais eles lutavam fossem destruídos, o poder seria destruído.

— E seríamos uma família — diz Mirren.

— Era como uma purificação — diz Gat.

— Ela só lembra que iniciamos um incêndio — diz Johnny, de repente elevando o tom de voz.

— E algumas outras coisas — acrescento, levantando-me e olhando para os Mentirosos à luz da manhã. — As coisas estão voltando conforme vocês me contam.

— Estamos contando tudo o que aconteceu antes do incêndio — diz Johnny, ainda em voz alta.

— Sim — diz Mirren.

— Nós iniciamos um incêndio — digo com espanto. — Não choramos e sangramos; fizemos alguma coisa. Fizemos algo para mudar.

— Mais ou menos — diz Mirren.

— Está brincando? Nós reduzimos aquela porra de palácio a cinzas.

71

DEPOIS QUE AS TIAS E MEU AVÔ DISCUTIRAM, comecei a chorar.

Gat também estava chorando.

Ele deixaria a ilha e eu nunca mais o veria. Ele nunca mais me veria.

Gat, meu Gat.

Eu nunca tinha chorado com ninguém antes. Ao mesmo tempo.

Ele chorava como um homem, não como um menino. Não como se estivesse frustrado ou as coisas não fossem do jeito dele, mas como se a vida fosse amarga. Como se suas feridas não pudessem ser curadas.

Eu queria curá-las para ele.

Descemos sozinhos para a praia pequena. Eu me abracei a ele e sentamos juntos na areia, e pela primeira vez Gat não tinha nada a dizer. Nenhuma análise, nenhuma dúvida.

Finalmente, eu disse algo sobre

se,

e se,

fizéssemos com nossas próprias mãos?

E Gat disse:

Como?
E eu disse algo sobre
se,
e se,
eles parassem de brigar?
Temos algo para salvar.
E Gat disse:
Sim. Você e eu e Mirren e Johnny, sim, nós temos.
Mas é claro que sempre podemos nos ver, nós quatro.
Ano que vem já podemos dirigir.
Sempre existe o telefone.
Mas aqui, eu disse. Isso.
Sim, aqui, ele disse. Isso.
Você e eu.
Eu disse algo sobre
se,
e se,
pudéssemos de algum modo deixar de ser
a bela Família Sinclair e ser apenas uma família?
E se pudéssemos deixar de ter
cores diferentes, passados diferentes, e apenas estarmos apaixonados?
E se pudéssemos obrigar todo mundo a mudar?
Obrigar.
Você quer brincar de Deus, Gat disse.
Quero tomar uma atitude, eu disse. Sempre existe o telefone, ele disse.
Mas e aqui?, eu disse. Isso.

Sim, aqui, ele disse. Isso.

Gat era meu amor, meu primeiro e único. Como podia deixá-lo ir?

Ele era uma pessoa incapaz de forçar um sorriso, mas sorria com frequência. Envolvia meus pulsos em gaze branca e acreditava que feridas precisavam de atenção. Escrevia nas mãos e perguntava em que eu estava pensando. Sua mente era inquieta, inquieta. Ele não acreditava mais em Deus e ainda assim desejava que Deus o ajudasse.

E agora ele era meu e eu disse que não devíamos deixar nosso amor ser ameaçado.

Não devíamos deixar a família se desintegrar.

Não devíamos aceitar um mal que podíamos mudar.

Nós enfrentaríamos, não é?

Sim. Enfrentaríamos.

Seríamos até heróis.

GAT E EU falamos com Mirren e Johnny.

Convencemos os dois a agir.

Dissemos uns aos outros

repetidas vezes: faça aquilo que teme.

Dissemos uns aos outros.

Repetidas vezes, afirmamos.

Dissemos uns aos outros

que estávamos certos.

72

O PLANO ERA SIMPLES. Encontraríamos os galões sobressalentes de gasolina, aqueles que ficavam no galpão para usar nos barcos. Havia jornais e papelão no quartinho. Faríamos pilhas de lixo reciclável e as encharcaríamos de gasolina. Encharcaríamos o piso de madeira também. Tomaríamos distância. Colocaríamos fogo em um rolo de papel-toalha e o arremessaríamos. Fácil.

Incendiaríamos todos os pisos, todos os cômodos, se possível, para garantir que Clairmont queimasse completamente. Gat no porão, eu no térreo, Johnny no segundo andar e Mirren no último.

— Os bombeiros chegaram tarde demais — diz Mirren.

— Duas equipes de bombeiros — diz Johnny. — A de Woods Hole e a de Martha's Vineyard.

— Estávamos contando com isso — digo, lembrando.

— Planejamos ligar para pedir ajuda — diz Johnny. — Naturalmente alguém tinha que ligar ou ficaria parecendo um incêndio criminoso. Diríamos que estávamos em Cuddledown, assistindo a um filme, e você sabe como as árvores cercam tudo. Não dá para ver as outras casas a não ser do telhado. Então faria sentido demorar para ligar.

— Aquelas equipes de bombeiros são formadas praticamente por voluntários — diz Gat. — Ninguém tinha a mínima ideia do que fazer. Velhas casas de madeira. Material inflamável.

— Se as tias e vovô suspeitassem de nós, nunca nos acusariam — acrescenta Johnny. — Era fácil contar com isso.

É claro que não acusariam.

Ninguém aqui é criminoso.

Ninguém é viciado.

Ninguém é fracassado.

Senti um tremor ao pensar no que fizemos.

Meu nome completo é Cadence Sinclair Eastman e, ao contrário da bela família em que cresci, sou uma incendiária.

Uma visionária, uma heroína, uma rebelde.

O tipo de pessoa que muda a história.

Uma criminosa.

Mas, se sou uma criminosa, sou então uma viciada? Sou então uma fracassada?

Minha mente está brincando com as palavras como sempre faz.

— Nós fizemos isso acontecer — eu digo.

— Depende do que você acha que *isso* é — diz Mirren.

— Nós salvamos a família. Eles começaram de novo.

— Tia Carrie fica perambulando pela ilha à noite — diz Mirren. — Minha mãe fica esfregando pias limpas até ficar com as mãos em carne viva. Penny fica observando você dormindo e anota tudo o que você come. Elas bebem pra caramba. Estão se embebedando até as lágrimas escorrerem pelo rosto.

— Quando vocês foram até a nova Clairmont para ver isso? — pergunto.

— Eu subo lá de vez em quando — diz Mirren. — Você acha que resolvemos tudo, Cady, mas acho que foi...

— Estamos aqui — eu insisto. — Sem aquele incêndio, não estaríamos aqui. É isso que estou dizendo.

— Está bem.

—Vovô tinha tanto poder — digo. — E agora não tem mais. Mudamos um mal que víamos no mundo.

Entendo muitas coisas que não estavam claras antes. Meu chá está quente, os Mentirosos são lindos, Cuddledown é linda. Não importa se as paredes estão manchadas. Não importa se tenho dores de cabeça, nem que Mirren esteja doente. Não importa se Will tem pesadelos e Gat se odeia. Cometemos o crime perfeito.

—Vovô só não tem poder porque está caduco — diz Mirren. — Ele ainda torturaria todo mundo se pudesse.

— Discordo — diz Gat. — A nova Clairmont parece um castigo para mim.

— O quê? — ela pergunta.

— Uma forma de se punir. Ele construiu uma casa que não é um lar. É propositalmente desconfortável.

— Por que faria isso? — pergunto.

— Por que você doou todas as suas coisas? — Gat pergunta.

Ele está olhando fixamente para mim. Todos estão olhando fixamente para mim.

— Para ser caridosa — respondo. — Fazer algum bem para o mundo.

Faz-se um silêncio estranho.

— Odeio acumular coisas — digo.

Ninguém ri. Não sei como acabei virando objeto dessa conversa.

Nenhum dos Mentirosos fala nada por um bom tempo. Então Johnny diz:

— Não pressione, Gat.

E Gat diz:

— Fico feliz que tenha se lembrado do incêndio, Cadence.

E eu digo:

— É, bem, de uma parte dele.

E Mirren diz que não está se sentindo bem e volta para a cama.

Os meninos e eu ficamos deitados no chão da cozinha, olhando para o teto, por mais um tempo, até que me dou conta, um pouco constrangida, de que os dois pegaram no sono.

73

ENCONTRO MINHA MÃE NA VARANDA de Windemere com os cachorros. Ela está fazendo um cachecol azul-claro de lã.

— Você está sempre em Cuddledown — minha mãe reclama. — Não é bom ficar lá embaixo o tempo todo. Carrie passou lá ontem, procurando alguma coisa, e disse que está uma imundície. O que aconteceu?

— Nada. Desculpe pela bagunça.

— Se estiver realmente sujo, não podemos pedir para Ginny limpar. Você sabe disso, não é? Não é justo com ela. E Bess vai ter um ataque se vir.

Não quero ninguém indo a Cuddledown. Quero a casa só para nós.

— Não se preocupe. — Eu sento e acaricio a doce cabeça amarela de Bosh. — Ei, mãe?

— O que foi?

— Por que você pediu para ninguém da família me contar do incêndio?

Ela solta o novelo e fica olhando para mim por um bom tempo.

—Você se lembra do incêndio?

— Ontem à noite eu me lembrei de repente. Não me lembro de tudo, mas, sim. Lembro que o incêndio aconteceu. Lembro que vocês todos brigaram. E todo mundo foi embora da ilha. Eu lembro que fiquei aqui com Gat, Mirren e Johnny.

—Você se lembra de mais alguma coisa?

— Lembro como o céu ficou. Com as chamas. O cheiro da fumaça.

Se minha mãe acha que tenho alguma culpa, ela nunca, nunca, vai me perguntar. Sei que não.

Ela não quer saber.

Mudei o curso da vida dela. Mudei o destino da família. Os Mentirosos e eu.

Foi uma coisa horrível de se fazer. Talvez. Mas foi alguma coisa. Não fiquei apenas sentada, reclamando. Sou uma pessoa muito mais poderosa do que minha mãe jamais saberá. Eu a desobedeci e a ajudei ao mesmo tempo.

Minha mãe acaricia meu cabelo. Tão melosa. Eu recuo.

— Só isso? — ela pergunta.

— Por que ninguém fala comigo sobre isso? — repito.

— Por causa da... por causa... — Minha mãe faz uma pausa, procurando palavras. — Por causa da sua dor.

— Porque tenho dores de cabeça, porque não consigo me lembrar do acidente, não posso lidar com a ideia de Clairmont ter pegado fogo?

— Os médicos nos pediram para não acrescentar estresse na sua vida — ela diz. — Disseram que o fogo pode ter desencadeado as dores de cabeça, pela inalação de fumaça ou... medo. — Ela termina de uma maneira ridícula.

— Não sou criança — digo. — Sou capaz de lidar com informações básicas sobre nossa família. Durante todo o verão eu venho me esforçando para me lembrar do acidente e do que aconteceu antes. Por que não podem me contar, mãe?

— Eu contei. Há dois anos. Contei várias vezes, mas você nunca lembrava no dia seguinte. Quando falei com o médico, ele disse que não devia ficar te chateando desse jeito, não devia ficar te pressionando.

—Você mora comigo! — eu grito. — Não tem nenhuma fé de que seu próprio julgamento seja superior ao de um médico qualquer que mal me conhece?

— Ele é um especialista.

— O que faz você pensar que quero que toda a minha família guarde segredos de mim, até mesmo as gêmeas, até mesmo Will e Taft, minha nossa, em vez de saber o que aconteceu? O que faz você pensar que sou tão frágil a ponto de não poder saber de simples fatos?

—Você parece frágil para mim — diz minha mãe. — E,

para ser sincera, não tenho certeza de que poderia lidar com isso.

— Não tem ideia do quanto isso é ofensivo.

— Eu te amo — ela diz.

Não consigo mais olhar para sua cara de pena e de dona da razão.

74

MIRREN ESTÁ NO MEU QUARTO quando abro a porta. Está sentada à escrivaninha com a mão sobre meu laptop.

— Queria saber se podia ler os e-mails que me mandou ano passado — ela diz. — Você ainda tem?

— Sim.

— Nunca li nenhum deles — ela diz. — No início do verão eu fingi que tinha lido, mas nunca abri.

— Por que não?

— Simplesmente não abri — ela diz. — Achei que não importava, mas agora acho que importa. E veja! — ela disse com leveza. — Até saí da casa para fazer isso!

Engulo o máximo de raiva que posso.

— Entendo você não ter respondido, mas por que nem ao menos leu meus e-mails?

— Eu sei — Mirren diz. — É péssimo e sou uma péssima pessoa. Por favor, posso ler os e-mails agora?

Abro o laptop. Faço uma busca e encontro todas as mensagens direcionadas a ela.

São vinte e oito. Leio sobre seu ombro. A maioria são e-
-mails agradáveis e educados de uma pessoa que não parece
ter dores de cabeça.

Mirren!
Amanhã viajo para a Europa com meu pai infiel
que, como você sabe, é também extremamente chato.
Deseje-me sorte e saiba que eu queria estar passando
o verão em Beechwood com você. E com Johnny. E
até com Gat.
Eu sei, eu sei. Eu devia ter superado isso.
Já superei.
Já.
Estou indo para Marbella conhecer espanhóis bo-
nitões, veja só.
Estou pensando se consigo fazer meu pai comer
os pratos mais nojentos de cada país que visitarmos,
como castigo por ter fugido para o Colorado.
Aposto que consigo. Se ele realmente me ama, vai
comer rã, rim e formigas cobertas com chocolate.
Cadence

A maioria era assim. Mas alguns e-mails não eram agradáveis nem educados. Eram deploráveis e verdadeiros.

Mirren,
    Inverno em Vermont. Escuro, escuro.

Minha mãe continua me observando enquanto durmo.

Minha cabeça dói o tempo todo. Não sei o que fazer para a dor parar. Os remédios não funcionam. Alguém está partindo o topo da minha cabeça com um machado, um machado cego que não consegue fazer um corte preciso no meu crânio. Quem quer que o esteja segurando tem que ficar golpeando minha cabeça, batendo repetidas vezes, nem sempre no mesmo lugar. Tenho múltiplos traumas.

Às vezes sonho que quem segura o machado é o vovô.

Outras vezes, sou eu.

Outras vezes, é Gat.

Desculpe parecer louca. Minhas mãos estão trêmulas enquanto digito isso e a tela é brilhante demais.

Quero morrer às vezes. Minha cabeça dói demais. Fico te escrevendo todos os meus pensamentos mais lúcidos, mas nunca menciono os obscuros, mesmo que os tenha o tempo todo. Então estou dizendo agora. Mesmo se você não responder, vou saber que alguém escutou, e isso pelo menos já é alguma coisa.

Cadence

LEMOS TODOS os vinte e oito e-mails. Depois de terminar, Mirren me dá um beijo no rosto.

— Não posso nem pedir desculpas — ela me diz. —

Não existe uma palavra no Scrabble para descrever como me sinto mal.

Então ela vai embora.

75

LEVO O LAPTOP para a cama e crio um documento. Pego minhas anotações em papel quadriculado e começo a digitá-las, além de todas as novas lembranças, rapidamente e com milhares de erros. Preencho com hipóteses os espaços vazios, não ocupados por lembranças verdadeiras.

O Centro Sinclair de Socialização e Petiscos.

Você não vai mais ver aquele seu namorado.

Ele quer que eu fique bem longe de você.

Adoramos Windemere, não é, Cady?

Tia Carrie chorando, usando a jaqueta de náilon do Johnny.

Gat jogando bolas para os cães na quadra de tênis.

Minha nossa, minha nossa, minha nossa.

Os cães.

Os malditos cães.

Fatima e Príncipe Philip.

Os cães morreram naquele incêndio.

Agora eu sei, e a culpa é minha. Eles eram cães tão desobedientes, não eram como Bosh, Grendel e Poppy, adestrados pela minha mãe. Fatima e Príncipe Philip comiam estrelas-do-mar na praia, depois vomitavam no meio da sala. Sacudiam água de seus pelos embaraçados, fuçavam a comida do piquenique, mastigavam frisbees até virarem pedaços inúteis de plástico. Adoravam bolas de tênis e desciam para a quadra para encher de baba qualquer uma que ficasse pelo chão. Não sentavam quando alguém mandava. Ficavam pedindo comida perto da mesa.

Quando o fogo começou, os cães estavam em um dos quartos de hóspedes. Meu avô muitas vezes os fechava no andar de cima quando Clairmont estava vazia, ou à noite. Assim eles não comeriam sapatos nem ficariam uivando perto da porta de tela.

Meu avô os tinha prendido antes de sair da ilha.

E nós não tínhamos pensado neles.

Eu tinha matado aqueles cães. Era eu quem tinha cães em casa, quem sabia onde Príncipe Philip e Fatima dormiam. Os outros Mentirosos não pensavam nos cachorros — não muito, pelo menos. Não como eu.

Eles tinham morrido queimados. Como posso ter me esquecido deles assim? Como posso ter ficado tão envolvida em meu exercício criminal idiota, na agitação, na raiva das tias e do meu avô...

Fatima e Príncipe Philip queimando. Farejando sob a porta, inalando fumaça, abanando o rabo com esperança, esperando alguém aparecer para resgatá-los, latindo.

Que morte horrível tiveram aqueles pobres, queridos e desobedientes cães.

76

SAIO CORRENDO de Windemere. Está escuro lá fora, é quase hora do jantar. Meus sentimentos escorrem pelos olhos, enrugando meu rosto, fazem meu corpo todo tremer enquanto imagino os cães ansiando pelo resgate, olhando fixamente para a porta conforme a fumaça invade.

Para onde ir? Não posso encarar os Mentirosos em Cuddledown. Will ou tia Carrie podem estar em Red Gate. A porra da ilha é tão pequena que não tenho para onde ir. Estou presa ali, onde matei aqueles pobres, pobres cães.

Toda a ousadia de hoje pela manhã,

o poder,

o crime perfeito,

a derrubada do patriarcado,

o modo como nós, os Mentirosos, salvamos o idílio de verão e o transformamos em um lugar melhor,

o modo como mantivemos nossa família unida ao destruir uma parte dela...

tudo isso é ilusão.

Os cães estão mortos,

os cães idiotas e fofos,

os cães que eu podia ter salvado,

cães inocentes que ficavam radiantes quando alguém lhes dava um pedaço de hambúrguer,

ou dizia seus nomes;

cães que adoravam andar de barco,

que corriam livres o dia todo com as patas sujas de lama.

Que tipo de gente age sem pensar em quem poderia estar preso em um quarto no andar de cima, confiando nas pessoas que sempre os mantiveram em segurança e os amaram?

Estou chorando um choro estranho, silencioso, parada na passagem entre Windemere e Red Gate. Meu rosto está molhado, meu peito está apertado. Volto cambaleando para casa.

Gat está na porta.

77

ELE DÁ UM PULO quando me vê e me envolve com o braço. Soluço em seu ombro e enfio os braços em sua jaqueta, em volta de sua cintura.

Ele não pergunta o que há de errado até eu dizer.

— Os cães — digo, finalmente. — Nós matamos os cães.

Ele fica em silêncio por um instante. Depois:

— É.

Não digo mais nada até meu corpo parar de tremer.

—Vamos sentar — Gat diz.

Nos acomodamos nos degraus da varanda. Gat apoia a cabeça na minha.

— Eu amava aqueles cães — digo.

—Todos nós amávamos.

— Eu... — Engasgo com as palavras. — Acho melhor não falar mais sobre isso, ou vou começar a chorar de novo.

— Tudo bem.

Ficamos sentados mais um tempo.

— É só isso? — Gat pergunta.

— O quê?

— Você está chorando só por isso?

— Não me diga que tem mais alguma coisa?

Ele fica em silêncio.

E continua em silêncio.

— Ah, droga, tem mais — digo, e meu peito parece oco e gelado.

— Sim — diz Gat. — Tem mais.

— Mais alguma coisa que as pessoas não estão me dizendo. Mais alguma coisa que minha mãe preferiria que eu não lembrasse.

Ele para um instante para pensar.

— Acho que estamos dizendo, mas você não quer ouvir. Você está doente, Cadence.

— Vocês não estão me dizendo diretamente — digo.

— Não.

— E por que não?

— Penny disse que seria melhor assim. E, bem, com todos nós aqui, eu tinha esperança de que você lembraria. — Ele tira o braço do meu ombro e abraça os joelhos.

Gat, meu Gat.

Ele é contemplação e entusiasmo. Ambição e café forte.

Amo as pálpebras de seus olhos castanhos, sua pele morena e macia, o lábio inferior protuberante. Sua mente. Sua mente.

Beijo seu rosto

— Lembro mais sobre nós do que antes — digo a ele. — Lembro que nos beijamos na porta do quartinho dos fundos antes de tudo dar errado. Nós dois na quadra de tênis, conversando sobre Ed ter pedido Carrie em casamento. Na costa, na pedra lisa, onde ninguém podia nos ver. E na praia pequena, conversando sobre o incêndio.

Ele confirma.

— Mas ainda não me lembro do que deu errado — digo.
— Por que não estávamos juntos quando eu me machuquei? Nós brigamos? Eu fiz alguma coisa? Você voltou para Raquel? — Não consigo olhar nos olhos dele. — Acho que mereço uma resposta sincera, mesmo se isso que existe entre nós agora não for durar.

Gat franze o rosto e o cobre com as mãos.

— Não sei o que fazer — ele diz. — Não sei o que devo fazer.

— Apenas me conte.

— Não posso ficar aqui com você — ele diz. — Preciso voltar para Cuddledown.

— Por quê?

— Eu preciso — ele diz, levantando-se e andando. Então ele para e se vira. — Eu estraguei tudo. Sinto muito, Cady. Sinto tanto, tanto. — Ele está chorando novamente. — Eu não devia ter te beijado, nem feito um balanço de pneu para você nem te dado rosas. Não devia ter dito o quanto te acho linda.

— Eu quis tudo isso.

— Eu sei, mas eu devia ter me afastado. Foi muito errado ter feito essas coisas, sinto muito.

— Volte aqui — digo, mas, quando ele não se mexe, vou até ele. Coloco as mãos em seu pescoço e o rosto junto ao dele. Beijo-o com intensidade, para que saiba que é de verdade. Sua boca é tão macia e ele é simplesmente a melhor pessoa que conheço, a melhor pessoa que conheci, independentemente das coisas ruins que possam ter acontecido entre nós e do que venha a acontecer depois.

— Eu te amo — sussurro.

Ele se afasta.

— É disso que estou falando. Sinto muito. Só queria te ver.

Ele se vira e desaparece no escuro.

78

HOSPITAL EM MARTHA'S VINEYARD. Verão dos quinze, depois do acidente.

Eu estava deitada em uma cama, coberta por um lençol azul. Todo mundo sempre imagina lençóis de hospital brancos, mas esses eram azuis. O quarto estava quente. Eu tinha um acesso intravenoso no braço.

Minha mãe e meu avô olhavam fixamente para mim. Meu avô segurava uma caixa de doces de Edgartown que havia trazido de presente.

Fiquei tocada por ele lembrar que eu gostava dos doces de Edgartown.

Eu estava escutando música com fones de ouvido, então não dava para ouvir o que os adultos diziam. Minha mãe chorava.

Meu avô abriu a caixa de doces, tirou um e ofereceu para mim.

A música:

Nossa juventude está enfraquecida
Não vamos desperdiçá-la
Lembre-se do meu nome
Porque fizemos história
Na na na na na na na

LEVANTEI A MÃO PARA tirar os fones. Estava enfaixada.

Minhas duas mãos estavam enfaixadas.

E meus pés. Dava para sentir o esparadrapo neles, debaixo do lençol azul.

Minhas mãos e meus pés estavam enfaixados porque estavam queimados.

79

ERA UMA VEZ *um rei que tinha três lindas filhas.*

Não, não, espere.

Era uma vez três ursos que moravam em uma casinha na floresta.

Era uma vez três cabritos que moravam perto de uma ponte.

Era uma vez três soldados, vagando juntos pelas estradas depois da guerra.

Era uma vez três porquinhos.

Era uma vez três irmãos.

Não, é isso. É essa variação que eu quero.

Era uma vez três lindas crianças, dois meninos e uma menina. Quando cada um dos bebês nasceu, os pais ficaram exultantes, os céus ficaram exultantes, até mesmo as fadas ficaram exultantes. Elas compareceram às festas de batismo e deram aos bebês dons mágicos.

Estalo, iniciativa e sarcasmo.

Contemplação e entusiasmo. Ambição e café forte.

Açúcar, curiosidade e chuva.

E também tinha uma bruxa.

Sempre tem uma bruxa.

A bruxa tinha a mesma idade das lindas crianças, e conforme ela e eles cresciam, tinha cada vez mais inveja da menina, e dos meninos também. Eles haviam sido agraciados com todos esses dons fantásticos, dons que haviam sido negados à bruxa em seu próprio batismo.

O menino mais velho era forte e veloz, talentoso e bonito. Embora fosse extremamente baixo.

O outro menino era estudioso e sincero. Embora fosse um forasteiro.

E a menina era esperta, generosa e ética. Embora se sentisse impotente.

A bruxa não era nada disso, pois seus pais haviam irritado as fadas. Nenhum dom lhe fora concedido. Ela era solitária. Seu único poder era sua magia negra e repugnante.

Ela confundia ser frugal com ser caridosa, e doava seus bens sem fazer o bem com eles.

Confundia estar doente com ser corajosa, e agonizava imaginando ser digna de louvor por isso.

Confundia sagacidade com inteligência, e fazia as pessoas rirem em vez de tirar o peso de seu coração ou fazê-las raciocinar.

Sua magia era tudo o que tinha, e ela a usava para destruir o que mais admirava. Visitava todos os jovens por volta de seu décimo aniversário, mas não lhes fazia mal imediatamente. A proteção de algum tipo de fada — a fada lilás, talvez — impedia que fizesse isso.

Então, ela os amaldiçoava.

"Quando você completar dezesseis anos", proclamava a bruxa com uma onda de inveja. "Quando todos nós completarmos dezesseis anos", ela disse àquelas lindas crianças, "vão espetar o dedo no fuso de uma roca de fiar — não, vão riscar um fósforo. Sim, vão riscar um fósforo e morrer nas chamas."

Os pais das lindas crianças ficaram assustados com a maldição e tentaram, como qualquer um faria, evitá-la. Mudaram-se com as crianças para bem longe, para um castelo em uma ilha exposta ao vento. Um castelo onde não havia fósforos.

Lá, certamente, estariam seguros.

Lá, certamente, a bruxa nunca os encontraria.

Mas ela os encontrou. E, quando estavam com quinze anos, pouco antes de completar dezesseis, quando seus pais ainda não estavam esperando, a bruxa invejosa inseriu sua abominável e perigosa figura na vida deles na forma de uma criada loira.

A criada fez amizade com elas. Ela os beijou e os levou para passear de barco e comprou doces para elas e lhes contou histórias.

Então lhes deu uma caixa de fósforos.

As crianças ficaram hipnotizadas, pois, prestes a completar dezesseis anos, nunca tinham visto fogo.

Vamos lá, risquem o palito, disse a bruxa, sorrindo. O fogo é belo. Nada de ruim vai acontecer.

Vamos lá, ela disse, as chamas vão purificar sua alma.

Vamos lá, ela disse, pois vocês podem pensar por si próprios.

Vamos lá, ela disse, de que vale a vida se não agirmos?

E eles deram ouvidos a ela.

Pegaram os fósforos e os riscaram. A bruxa observou a beleza deles queimando,

o estalo,

a inteligência,

a esperteza,

a sinceridade,

o charme,

os sonhos para o futuro.

Ela viu tudo desaparecer na fumaça.

PARTE CINCO
Verdade

80

EIS A VERDADE sobre a bela família Sinclair. Pelo menos a verdade que meu avô conhece. A verdade que ele teve o cuidado de manter fora dos jornais.

Há dois verões, em uma noite quente de julho,
Gatwick Matthew Patil,
Mirren Sinclair Sheffield,
e
Jonathan Sinclair Dennis
morreram em uma casa que pegou fogo, supostamente devido a um galão de combustível de motor que virou no quartinho dos fundos. A casa em questão se reduziu a cinzas antes que o corpo de bombeiros da região conseguisse chegar ao local.

Cadence Sinclair Eastman estava presente na ilha no momento do incêndio, mas só percebeu o que estava acontecendo quando o fogo já estava bem avançado. A conflagração a impediu de entrar na instalação quando se deu conta de que havia pessoas e animais presos lá dentro. Ela teve queimaduras nas mãos e nos pés nas tentativas de resgate. Depois correu para outra casa da ilha e telefonou para os bombeiros.

Quando a ajuda finalmente chegou, a srta. Eastman foi encontrada na praia pequena, com metade do corpo dentro d'água, em posição fetal. Ela não foi capaz de responder perguntas a respeito do que havia acontecido e pareceu ter sofrido traumatismo cranioencefálico. Teve de receber sedação pesada durante vários dias após o acidente.

Harris Sinclair, dono da ilha, recusou qualquer investigação formal a respeito da origem do incêndio. Muitas árvores dos arredores foram dizimadas.

Foram realizados os funerais de

Gatwick Matthew Patil,

Mirren Sinclair Sheffield,

e

Jonathan Sinclair Dennis

nas cidades de Cambridge e Nova York, onde residiam.

Cadence Sinclair Eastman não estava bem o bastante para comparecer.

No verão seguinte, a família Sinclair voltou à ilha Beechwood. Ela se desintegrou. Eles ficaram de luto. Beberam muito.

Depois construíram uma nova casa sobre as cinzas da anterior.

Cadence Sinclair Eastman não tinha nenhuma lembrança dos fatos que cercaram o incêndio, nenhuma lembrança do ocorrido. Suas queimaduras se curaram rapidamente, mas ela passou a apresentar amnésia seletiva no que dizia respeito aos acontecimentos do verão anterior. Insistia em acreditar que havia batido a cabeça enquanto nadava. Os médicos presumiram que suas dores de cabeça debilitantes eram causadas por luto não reconhecido e culpa. Foi medicada com drogas pesadas e ficou extremamente frágil, tanto física quanto mentalmente.

Os mesmos médicos aconselharam a mãe de Cadence a parar de explicar a tragédia se ela não conseguisse lembrar sozinha. Era demais para ela receber notícias do trauma todos os dias, como se fosse novidade. Melhor deixar que lembre no seu próprio ritmo. Ela não deve voltar à ilha Beechwood antes de ter um tempo substancial para se curar. Na verdade, qualquer medida possível deve ser tomada para mantê-la longe da ilha no ano subsequente ao acidente.

Cadence começou a exibir um desejo inquietante de se livrar de todas as suas posses desnecessárias, até mesmo coisas de valor sentimental, quase como se pagasse por crimes do passado. Escureceu o cabelo e passou a se vestir com muita simplicidade. Sua mãe procurou ajuda profissional para explicar o comportamento de Cadence e foi informada de que parecia uma parte normal do processo de luto.

No segundo ano após o acidente, a família começou a se recuperar. Cadence voltou a frequentar a escola depois de longos períodos de ausência. Com o tempo, expressou o desejo de voltar à ilha Beechwood. Os médicos e os outros membros da família concordaram: podia ser bom para ela fazer exatamente isso.

Na ilha ela talvez conseguisse se curar.

81

LEMBREM-SE, não molhem os pés. Nem as roupas.

Encharquem os armários de roupa de cama, as toalhas, o piso, os livros e as camas.

Lembrem-se, deixem a lata de gasolina longe dos jornais, para conseguir pegá-la depois.

Vejam o fogo começar, vejam que está queimando. Depois corram. Usem a escadaria da cozinha e saiam pela porta do quartinho dos fundos.

Lembrem-se, peguem a lata de gasolina e levem de volta ao ancoradouro.

Vejo vocês em Cuddledown. Vamos colocar as roupas na máquina de lavar, vestir outras e ver as chamas antes de ligar para os bombeiros.

Foram as últimas palavras que eu disse a eles. Johnny e Mirren foram para os dois andares de cima de Clairmont levando latas de gasolina e sacos de jornais velhos para iniciar o fogo.

Antes de Gat descer para o porão, eu o beijei.

— Vejo você em um mundo melhor — ele me disse, e eu ri.

Estávamos meio bêbados. Ficamos bebendo as sobras de vinho das tias desde que elas saíram da ilha. O álcool me deu uma sensação de euforia e poder até eu me ver sozinha na cozinha. Então senti tontura e náuseas.

A casa estava fria. Parecia algo que merecia ser destruído. Estava cheia de objetos pelos quais as tias brigavam. Obras de arte valiosas, porcelana, fotografias. Tudo o que abastecia a raiva da família. Dei um soco no retrato de minha mãe, Carrie e Bess quando crianças, sorrindo para a câmera. O vidro quebrou e eu caí para trás.

O vinho estava embaçando minha cabeça. Eu não estava acostumada a beber.

Lata de gasolina em uma mão, saco de jornal na outra, decidi fazer aquilo o mais rápido possível. Espalhei o líquido pela cozinha primeiro, depois na despensa. Joguei na sala de jantar e estava encharcando os sofás da sala de estar quando me dei conta de que devia ter começado pela ponta mais afastada do quartinho dos fundos. Era por ele que sairíamos. Eu devia ter jogado o combustível na cozinha por último, para poder correr sem molhar meus pés com gasolina.

Burra.

A porta principal, que abria para a varanda, já estava encharcada, mas havia outra porta pequena também. Ficava perto do escritório do meu avô e dava para a passagem que levava à casa dos empregados. Eu a usaria.

Molhei uma parte do corredor e depois a sala de artesanato, sentindo uma onda de tristeza por estragar os tecidos estampados e as linhas coloridas da minha avó. Ela teria odiado o que eu estava fazendo. Amava seus tecidos, sua antiga máquina de costura, seus lindos, lindos objetos.

Fui burra de novo. Ensopei de gasolina minhas sandálias com sola de corda.

Tudo bem. Fiquei calma. Eu as usaria até terminar e depois as jogaria no fogo, ao correr para fora.

No escritório do meu avô, subi na mesa, molhando as estantes até o teto, segurando a lata de gasolina bem longe de mim. Ainda havia uma boa quantidade de combustível e aquele era meu último cômodo, então encharquei bem os livros.

Depois molhei o piso, empilhei os jornais sobre ele e me afastei até um pequeno vestíbulo que levava à porta. Tirei as sandálias e as joguei sobre a pilha de revistas. Pisei em um quadrado de chão seco e coloquei a lata de gasolina no chão. Tirei um palito de fósforo do bolso da calça e acendi meu rolo de papel-toalha.

Arremessei o rolo em chamas na pilha de jornais e observei até pegar fogo. O fogo acendeu, cresceu e se espalhou. Pelas portas largas do escritório, vi uma linha de fogo atravessar o corredor de um lado e ir para a sala do outro. O sofá começou a queimar.

Então, diante de mim, as estantes irromperam em chamas, o papel encharcado de gasolina queimava mais rápido do que todo o resto. De repente, o teto pegou fogo. Eu não conseguia desviar os olhos. As chamas eram terríveis, extraordinárias.

Então alguém gritou.

E gritou de novo.

Vinha do cômodo exatamente acima do meu, um quarto. Johnny estava no segundo andar. Eu havia botado fogo no escritório, e ele estava queimando mais rápido do que o resto. O fogo estava subindo e Johnny não tinha saído.

Ah não, ah não, ah não. Eu me joguei para a porta dos fundos, mas ela estava trancada. Minhas mãos estavam escorregadias por causa da gasolina. O metal já estava quente. Virei as trancas — uma, duas, três —, mas algo deu errado e a porta ficou presa.

Outro grito.

Tentei as trancas novamente. Não consegui. Desisti.

Cobri a boca e o nariz com as mãos e saí correndo pelo escritório em chamas, depois pelas labaredas no corredor, até a cozinha. O cômodo ainda não estava queimando, ainda bem. Apressei-me pelo chão molhado até a porta do quartinho dos fundos.

Tropecei, deslizei e caí, ensopando-me nas poças de gasolina.

As barras da minha calça jeans estavam queimando devido à passagem pelo escritório. O fogo passou para a gasolina no chão da cozinha e correu para os armários de madeira e para os alegres panos de prato da minha avó. As chamas se alastraram rapidamente pela saída do quartinho à minha frente, e eu vi que minha calça estava pegando fogo do joelho ao tornozelo. Eu me atirei na direção da porta, correndo pelo meio das labaredas.

— Saiam! — gritei, embora duvidasse que alguém pudesse me ouvir. — Saiam agora!

Do lado de fora, atirei-me sobre a grama. Rolei até apagar o fogo da minha calça.

Já dava para ver que os dois andares de cima de Clairmont estavam brilhando com o calor, e o andar térreo estava totalmente incendiado. Quanto ao porão, não dava para saber.

— Gat? Johnny? Mirren? Onde vocês estão?

Nenhuma resposta.

Tentando conter o pânico, disse a mim mesma que eles já deviam ter saído.

Calma. Tudo ia ficar bem. Tinha que ficar.

— Onde vocês estão? — gritei novamente, começando a correr.

Novamente, nenhuma resposta.

Provavelmente estavam no ancoradouro, deixando as latas de gasolina. Não era longe, então corri, gritando o nome deles o mais alto que conseguia. Meus pés descalços batiam na madeira da passagem provocando um eco estranho.

A porta estava fechada. Abri com um empurrão.

— Gat! Johnny? Mirren!

Não havia ninguém lá, mas já podiam estar em Cuddledown, não podiam? Imaginando por que eu estava demorando tanto.

Uma passagem sai do ancoradouro, passa pelas quadras de tênis e leva a Cuddledown. Saí correndo de novo, a ilha estranhamente calma no escuro. Disse a mim mesma repetidas vezes: eles vão estar lá. Esperando por mim. Preocupados comigo.

Vamos rir porque estamos todos a salvo. Vamos cobrir minhas queimaduras com água gelada e achar que tivemos sorte.

Vamos.

Mas, ao chegar lá, vi que as luzes estavam apagadas.

Ninguém estava esperando.

Voltei às pressas para Clairmont e, quando pude vê-la, estava pegando fogo, de cima a baixo. A sala da torre estava queimando, os quartos estavam queimando, as janelas do porão brilhavam em laranja. Tudo quente.

Corri para a entrada do quartinho dos fundos e puxei a porta. A fumaça começou a sair. Tirei o suéter e a calça encharcados de gasolina, engasgando e tossindo. Entrei na cozinha e fui para a escadaria que levava ao porão.

No meio dos degraus havia uma parede de chamas. Uma parede.

Gat não tinha saído. Nem ia sair.

Virei e subi correndo na direção de Johnny e Mirren, mas a madeira queimava sob meus pés.

O corrimão pegou fogo. A escadaria à minha frente desabou, lançando fagulhas.

Cambaleei para trás.

Eu não tinha como subir.

Não tinha como salvá-los.

Não havia lugar nenhum

lugar nenhum

lugar nenhum

lugar nenhum para ir

exceto abaixo.

82

EU ME LEMBRO disso como se estivesse revivendo tudo, sentada nos degraus de Windemere, ainda olhando fixamente para o ponto em que Gat desapareceu na noite. A percepção do que fiz vem na forma de névoa em meu peito, fria, escura e dilatada. Faço cara de dor e me inclino para a frente. A névoa gelada corre do peito para as costas e sobe pelo pescoço. Atinge a cabeça e desce pela coluna.

Frio, frio, remorso.

Eu não devia ter jogado gasolina na cozinha primeiro. Eu não devia ter iniciado o fogo no escritório.

Que idiota eu fui ao encharcar tanto os livros. Qualquer um poderia ter previsto como eles queimariam rápido. Qualquer um.

Devíamos ter combinado o momento certo de atear fogo nos jornais.

Eu devia ter insistido para ficarmos juntos.

Eu nunca devia ter ido verificar o ancoradouro.

Não devia ter corrido para Cuddledown.

Se ao menos eu tivesse voltado mais rápido para Clairmont, talvez pudesse ter tirado Johnny de lá. Ou alertado Gat antes de o porão pegar fogo. Talvez pudesse ter encontrado os extintores de incêndio e dado um jeito de apagar as chamas.

Talvez, talvez.

Se ao menos, se ao menos.

Eu desejava tanta coisa para nós: uma vida livre de pressão e preconceito. Uma vida livre para amar e ser amada.

E, veja só, eu os matei.

Meus Mentirosos, meus queridos.

Eu os matei. Minha Mirren, meu Johnny, meu Gat.

Essa consciência passa da coluna para os ombros e para a ponta dos dedos. Transforma-os em gelo. Eles lascam e quebram, pequenos pedaços estilhaçados nos degraus de Windemere. Rachaduras fragmentam meus braços e sobem pelos ombros e pelo pescoço. Meu rosto está congelado num grunhido de dor de uma bruxa. Mas minha garganta está fechada. Não consigo produzir nenhum som.

Estou congelada, quando merecia queimar.

Eu devia ter me calado em vez de dizer que tínhamos de fazer algo com nossas próprias mãos. Devia ter ficado quieta. Cedido. Conversar por telefone seria o bastante. Logo teríamos carteira de motorista. Logo iríamos para a faculdade e as lindas casas dos Sinclair seriam algo distante e insignificante.

Podíamos ter sido pacientes.

Eu podia ter sido a voz da razão.

Assim, talvez, ao beber o vinho das tias, podíamos ter esquecido nossas ambições. A bebida nos daria sono. Dormiríamos na frente da televisão, zangados e impotentes, quem sabe, mas sem botar fogo em nada.

Não posso desfazer isso.

Arrasto-me para dentro e subo para o quarto apoiada em mãos de gelo rachado, deixando um rastro de cacos do meu corpo congelado. Meus calcanhares, meus joelhos. Debaixo dos cobertores, tremo convulsivamente. Pedaços de mim se partem sobre o travesseiro. Dedos. Dentes. Mandíbula. Clavícula.

Finalmente, finalmente, os tremores param. Começo a me aquecer e derreter.

Choro por minhas tias, que perderam seus primogênitos.

Por Will, que perdeu o irmão.

Por Liberty, Bonnie e Taft, que perderam a irmã.

Por meu avô, que não apenas viu seu castelo se reduzir a cinzas, mas perdeu os netos.

Pelos cães, os pobres cães desobedientes.

Choro pelas reclamações vãs que fiz o verão todo. Por minha vergonhosa autopiedade. Por meus planos para o futuro.

Choro por todas as coisas que doei. Sinto falta do meu travesseiro, dos meus livros, das minhas fotos. Estremeço diante das minhas ilusões de caridade, da minha vergonha mascarada de virtude, das mentiras que contei a mim mesma, dos castigos que impus a mim mesma e à minha mãe.

Choro horrorizada por toda a família ter sido queimada por mim, e por ter sido a causa de tanto sofrimento.

No fim, nós não salvamos o idílio. Ele se foi para sempre, se é que algum dia existiu. Acabamos com a inocência do lugar, daqueles dias em que ainda não conhecíamos a extensão da raiva das tias, antes da morte da minha avó e da deterioração do meu avô.

Antes de virarmos criminosos. Antes de virarmos fantasmas.

As tias se abraçam não por estarem livres do peso de Clairmont e de tudo o que ela simbolizava, mas em decorrência da tragédia, por empatia. Não porque as libertamos, mas porque as destruímos, e elas se uniram diante do horror.

Johnny. Johnny queria correr uma maratona. Queria percorrer quilômetro a quilômetro, provando que seus pulmões não se esgotavam. Provando que ele era o homem que meu avô queria que fosse, provando sua força, apesar de ser tão pequeno.

Seus pulmões se encheram de fumaça. Ele não tem mais nada a provar. Nenhum motivo para correr.

Ele queria ter um carro e comer bolos elaborados que via na vitrine das confeitarias. Queria rir muito, comprar obras de arte e usar roupas elegantes. Suéteres, cachecóis e coisas de lã com listras. Queria fazer um atum de Lego e pendurar como se fosse um animal empalhado. Recusava-se a ser sério, era o extremo oposto, mas era uma pessoa muito comprometida com as coisas que importavam a ele. A corrida. Will e Carrie. Os Mentirosos. Seu senso do que era correto. Ele abriu mão da poupança para a faculdade sem hesitar nem por um segundo para defender seus princípios.

Penso nos braços fortes de Johnny, na listra de protetor solar branco em seu nariz, em quando ficamos mal juntos por causa de hera venenosa e deitamos um do lado do outro na rede, com coceira. Em quando ele fez para mim e para Mirren uma casa de bonecas com papelão e pedras que havia encontrado na praia.

Jonathan Sinclair Dennis, você teria sido uma luz no escuro para tanta gente.

Você *foi* uma luz. Você foi.

E eu te decepcionei da pior forma possível.

Choro por Mirren, que queria conhecer o Congo. Ela ainda não sabia como queria viver e no que acreditava; estava pesquisando e descobriu que se sentia atraída por aquele lugar. Agora nunca será real para ela, nunca será nada além de fotografias e filmes e histórias publicadas para o entretenimento das pessoas.

Mirren falava muito sobre relação sexual, mas nunca teve uma. Quando éramos mais novas, ficávamos acordadas até tarde, dormindo juntas na varanda de Windemere, em sacos de dormir, rindo e comendo doce. Brigávamos por bonecas Barbie, maquiávamos uma à outra e sonhávamos com o amor. Mirren nunca terá um casamento com rosas amarelas, nem um noivo que a ame o bastante para usar uma faixa amarela ridícula na cintura.

Ela se irritava com facilidade. Era mandona. Mas sempre achava graça disso. Era fácil deixá-la brava, e ela quase sempre estava zangada com Bess e irritada com as gêmeas, mas logo se enchia de arrependimento, resmungando angustiada sobre sua língua afiada. Ela amava sua família, amava a todos, e lia para os irmãos, ajudava-os a fazer sorvete ou lhes dava conchas bonitas que havia encontrado.

Ela não pode mais consertar as coisas.

Ela não queria ser como a mãe. Não queria ser uma princesa. Mas uma exploradora, uma executiva, uma boa samaritana, uma sorveteira... alguma coisa.

Alguma coisa que nunca vai ser, por minha causa.

Mirren, não posso nem pedir desculpas. Não existe uma palavra no Scrabble para descrever como me sinto mal.

E Gat, meu Gat.

Ele nunca irá para a faculdade. Tinha aquela mente ávida, estava constantemente revirando as coisas, não em busca de respostas, mas de compreensão. Ele nunca irá satisfazer sua curiosidade, nunca terminará de ler os cem melhores romances já escritos, nunca será o grande homem que poderia ser.

Ele queria acabar com o mal. Queria expressar sua raiva.

Vivia com intensidade, meu corajoso Gat. Não se calava quando as pessoas queriam que se calasse, fazia com que ouvissem, e depois as ouvia também. Recusava-se a levar as coisas na brincadeira, embora sempre tivesse muita facilidade para rir.

Ah, ele me fazia rir. E me fazia pensar, mesmo quando eu não estava com vontade, mesmo quando tinha muita preguiça de prestar atenção.

Gat me deixou sangrar sobre ele e sangrar sobre ele e sangrar sobre ele. Nunca se importou. Queria saber por que eu estava sangrando. Pensava no que podia fazer para curar a ferida.

Ele nunca mais comerá chocolate.

Eu o amava. Eu o amava. Da melhor forma que podia. Mas ele estava certo. Eu não o conhecia direito. Nunca visitarei seu apartamento, nem experimentarei a comida de sua mãe, nem conhecerei seus amigos da escola. Nunca verei a colcha de sua cama nem os pôsteres da parede. Nunca entrarei na lanchonete onde ele comia sanduíche de ovo pela manhã ou a esquina onde prendia a bicicleta com duas correntes.

Nem sei se ele comia sanduíche de ovo e tinha pôsteres. Nem sei se ele tinha bicicleta ou uma colcha sobre a cama. Estou apenas imaginando os suportes para bicicleta na esquina, porque nunca fui para casa com ele, nunca vi sua vida, nunca conheci aquela pessoa que Gat era quando não estava na ilha Beechwood.

Seu quarto agora deve estar vazio. Ele está morto há dois anos.

Nós deveríamos estar.

Nós deveríamos estar.

Eu te perdi, Gat, porque me apaixonei desesperadamente, desesperadamente.

Penso em meus Mentirosos queimando, nos últimos minutos deles, inalando fumaça, a pele em chamas. Como deve ter sido doloroso.

O cabelo de Mirren em chamas. O corpo de Johnny no chão. As mãos de Gat, a ponta dos dedos queimadas, os braços enrugando com o fogo.

No dorso de suas mãos, palavras. Esquerda: *Gat*. Direita: *Cadence*.

Minha caligrafia.

Choro por ser a única de nós que ainda está viva. Porque terei de passar pela vida sem os Mentirosos. Porque eles terão de seguir para o que os espera, seja o que for, sem mim.

Eu, Gat, Johnny e Mirren.

Mirren, Gat, Johnny e eu.

Estivemos aqui, este verão.

E não estivemos aqui.

Sim e não.

É minha culpa, minha culpa, minha culpa — e ainda assim eles me amam. Apesar dos pobres cães, apesar da minha tolice e grandiosidade, apesar do nosso crime. Apesar do meu egoísmo, apesar dos meus lamentos, apesar da sorte idiota de ter sido a única que sobrou e da incapacidade de dar valor a isso, quando eles — eles não têm nada. Nada, mais nada, além desse último verão juntos.

Eles disseram que me amavam.

Eu senti no beijo de Gat.

Na risada de Johnny.
Mirren até mesmo gritou para o mar.

ACHO QUE FOI POR ISSO que vieram.
Eu precisava deles.

83

MINHA MÃE bate na porta do meu quarto e chama meu nome.
Não respondo.
Uma hora depois, ela bate de novo.
— Me deixa entrar?
—Vá embora.
— Está com enxaqueca? Só responda isso.
— Não é enxaqueca — digo. — É outra coisa.
— Eu te amo, Cady — ela diz.
Ela diz isso o tempo todo desde que fiquei doente, mas só agora percebo o que ela realmente quer dizer:
Eu te amo apesar do meu luto. Apesar de você ser louca.
Eu te amo apesar do que suspeito que você fez.
—Você sabe que *todos* nós te amamos, não é? — ela fala do outro lado da porta. — Tia Bess, tia Carrie, vovô e todo mundo? Bess está fazendo a torta de mirtilo que você gosta. Sai do forno em meia hora.Você pode comer no café da manhã. Eu pedi para ela fazer.
Eu me levanto.Vou até a porta e abro uma fresta.

— Diga a Bess que eu agradeço. Só não posso sair agora.

—Você estava chorando — minha mãe diz.

— Um pouco.

— Entendo.

— Desculpe. Sei que quer que eu tome café na casa.

— Não precisa pedir desculpas — minha mãe me diz. — De verdade, você nunca precisa dizer isso, Cady.

84

COMO SEMPRE, não vejo ninguém em Cuddledown até meus pés começarem a fazer barulho nos degraus. Então Johnny aparece na porta, pisando com cuidado sobre o vidro quebrado. Quando vê minha cara, ele para.

—Você lembrou — ele diz.

Confirmo com a cabeça.

—Você lembrou tudo?

— Não sabia se vocês ainda estariam aqui — digo.

Ele estende o braço para segurar minha mão. Parece quente e substancial, embora esteja pálido, desbotado, com bolsas sob os olhos. E jovem.

Ele só tem quinze anos.

— Não podemos ficar por muito mais tempo — Johnny diz. — Está ficando cada vez mais difícil.

Faço um gesto positivo com a cabeça.

— Mirren é quem está pior, mas Gat e eu estamos sentindo também.

— Para onde vocês vão?

— Quando formos embora?

— Ahã.

— Para o mesmo lugar que vamos quando não estamos aqui. O mesmo lugar em que estávamos. É como... — Johnny para, coça a cabeça. — É como um descanso. É como um *nada*, de certo modo. E, sinceramente, Cady, eu te amo, mas estou cansado pra caralho. Só quero me deitar e acabar com isso. Tudo aconteceu muito tempo atrás, pra mim.

Olho para ele.

— Sinto muito, muito, meu querido Johnny — digo, sentindo as lágrimas bem no fundo dos olhos.

— Não foi culpa sua — diz Johnny. — Quer dizer... nós todos fizemos aquilo, todos enlouquecemos, temos que assumir a responsabilidade. Você não devia carregar todo o peso — ele diz. — Fique triste, sinta pesar, mas não carregue isso nos ombros.

Entramos na casa e Mirren sai do quarto. Eu me dou conta de que ela provavelmente não estava ali até pouco antes de eu passar pela porta. Ela me abraça. Seu cabelo cor de mel está turvo e os cantos da boca parecem secos e rachados.

— Desculpe não ter feito melhor, Cady — ela diz. — Eu tive uma chance de estar aqui e, sei lá, eu adiei as coisas, contei tantas mentiras.

— Está tudo bem.

— Quero ser uma pessoa tolerante, mas ainda sobrou tanta raiva. Imaginei que seria piedosa e sábia, mas acabei com inveja de você, zangada com o resto da família. Estraguei tudo e agora já foi — ela diz, enterrando o rosto em meu ombro.

Coloco meus braços em volta dela.

— Você foi você mesma, Mirren — digo. — Não quero nada além disso.

— Preciso ir agora — ela diz. — Não posso mais ficar aqui. Vou descer para o mar.

Não. Por favor.

Não vá. Não vá embora, Mirren, Mirren.

Preciso de você.

É o que quero dizer, gritar. Mas não faço isso.

E parte de mim quer sangrar pelo chão da sala ou derreter e virar uma poça de tristeza.

Mas também não faço isso. Não reclamo nem peço que tenham pena.

Em vez disso, choro. Choro e aperto Mirren e beijo seu rosto quente e tento memorizar sua fisionomia.

Damos as mãos e nós três caminhamos até a praia pequena.

Gat está lá, esperando por nós. Seu perfil contrasta com o céu iluminado. Eu o verei para sempre desse jeito. Ele se vira e sorri para mim. Corre e me levanta, balançando-me como se houvesse algo para celebrar. Como se fôssemos um casal feliz e apaixonado na praia.

Não estou mais soluçando, mas lágrimas escorrem pelos meus olhos sem cessar. Johnny tira a camisa e me entrega.

— Limpe sua cara melequenta — ele diz com delicadeza.

Mirren tira o vestido de verão e fica ali parada, de biquíni.

— Não acredito que você vestiu um biquíni para isso — diz Gat, ainda me abraçando.

— Louca — acrescenta Johnny.

— Eu amo esse biquíni — diz Mirren. — Comprei em Edgartown no verão dos quinze. Lembra, Cady?

E eu descubro que lembro.

Estávamos extremamente entediadas; os pequenos haviam alugado bicicletas para participar de um passeio em Oak Bluffs e não tínhamos ideia de quando voltariam. Precisávamos esperar para levá-los de volta de barco. Então, sei lá, compramos doces, ficamos olhando o vento agitar as birutas, e finalmente entramos em uma loja para turistas e experimentamos os biquínis mais cafonas que encontramos.

— Está escrito "Vineyard é para os amantes" na bunda — digo a Johnny.

Mirren se vira e mostra.

— Um último momento de glória e tudo mais — ela diz com um quê de amargura.

Mirren se aproxima, dá um beijo no meu rosto e diz:

— Seja um pouco mais gentil do que precisa ser, Cady, e tudo vai ficar bem.

— E nunca coma nada maior do que sua bunda! — grita Johnny. Ele me dá um abraço rápido e chuta os sapatos para longe. Os dois caminham na direção do mar.

Eu me viro para Gat.

—Você também vai?

Ele faz que sim com a cabeça.

— Sinto muito, Gat — eu digo. — Sinto tanto, tanto, e nunca serei capaz de compensar você.

Ele me beija, posso sentir seu corpo tremendo e o envolvo com os braços como se eu fosse capaz de impedir que desapareça, como se eu pudesse fazer esse momento durar, mas sua pele está fria e molhada de lágrimas e eu sei que ele está partindo.

É bom ser amada, mesmo que não dure.

Era uma vez Gat e eu, e é bom saber disso.

Então ele vai embora, e eu não consigo suportar ficar longe dele, e penso que esse não pode ser o fim. Não pode ser verdade que nunca mais ficaremos juntos, não quando nosso amor é tão real. A história devia ter um final feliz.

Mas não.

Ele está me deixando.

Ele já está morto, é claro.

A história terminou há muito tempo.

Gat corre para o mar sem olhar para trás, mergulhando, de roupa e tudo, passando por baixo das pequenas ondas.

Os Mentirosos saem nadando, passam pela borda da enseada e entram em mar aberto. O sol está a pino e reflete sobre a água, tão brilhante, tão brilhante. E então eles afundam...

ou algo assim...

ou algo assim...

e desaparecem.

Eu fico, lá, na parte sul da ilha Beechwood. Estou na praia pequena, sozinha.

85

DURMO POR UM PERÍODO que pode ter durado dias. Não consigo levantar.

Abro os olhos, está claro.

Abro os olhos, está escuro.

Finalmente me levanto. No espelho do banheiro, meu cabelo não é mais preto. Desbotou e parece um marrom enferrujado, com raízes loiras. Estou com sardas na pele e os lábios queimados de sol.

Não sei ao certo quem é aquela garota no espelho.

Bosh, Grendel e Poppy me seguem para fora de casa, arfando e balançando o rabo. Na cozinha da nova Clairmont, as tias estão fazendo sanduíches para um piquenique. Ginny está limpando a geladeira. Ed está colocando garrafas de limonada e refrigerante em um isopor.

Ed.

Oi, Ed.

Ele acena para mim. Abre uma garrafa de refrigerante e entrega a Carrie. Vasculha o freezer em busca de outro saco de gelo.

Bonnie está lendo e Liberty está cortando tomates. Dois bolos, um marcado como *chocolate* e o outro como *baunilha*, estão em caixas de padaria sobre a bancada. Desejo feliz aniversário às gêmeas.

Bonnie levanta os olhos de seu livro *Aparições coletivas*.

— Está se sentindo melhor? — ela me pergunta.

— Estou.

—Você não parece muito melhor.

— Cala a boca.

— Bonnie é uma cretina e não se pode fazer nada a respeito — diz Liberty. — Mas nós vamos andar de esqui-boia amanhã de manhã, caso queira vir...

—Tudo bem — digo.

—Você não pode dirigir. Nós vamos dirigir.

—Tudo bem.

Minha mãe me abraça, um de seus abraços longos e cheios de preocupação, mas não falo nada para ela.

Ainda não. Talvez não por um tempo.

De qualquer modo, ela sabe que lembrei.

Já sabia quando bateu na minha porta, dava para notar.

Deixo que ela me dê um bolinho que guardou do café da manhã e pego um pouco de suco de laranja na geladeira.

Encontro uma caneta e escrevo nas mãos.

Esquerda: *Seja um pouco*. Direita: *mais gentil*.

Do lado de fora, Taft e Will estão brincando no jardim japonês. Estão procurando pedras diferentes. Procuro junto. Eles me dizem para procurar pedras brilhantes e outras que possam ser pontas de flecha.

Quando Taft me dá uma pedra roxa que encontrou, porque se lembra de que eu gosto de pedras roxas, eu a guardo no bolso.

86

MEU AVÔ E EU vamos para Edgartown naquela tarde. Bess insiste em nos levar, mas vai passear sozinha enquanto vamos fazer compras. Encontro lindas bolsas de tecido para as gêmeas e meu avô insiste em comprar um livro de contos de fadas para mim na livraria de Edgartown.

— Então Ed chegou — digo enquanto esperamos para pagar.
— Ahã.
—Você não gosta dele.
— Não muito.
— Mas ele está aqui.
— Está.
— Com Carrie.
— Sim. — Meu avô franze a testa. — Agora pare de me incomodar. Vamos até a loja de doces — ele diz. Então vamos.

É um bom passeio. Ele só me chama de Mirren uma vez.

O ANIVERSÁRIO É COMEMORADO na hora do jantar com bolo e presentes. Taft fica agitado de tanto comer açúcar e rala o joelho caindo de uma pedra grande no jardim. Levo-o até o banheiro para encontrar um curativo.

— Era a Mirren que colocava curativo em mim — ele me diz. — Bem, quando eu era pequeno.

Aperto seu braço.

— Quer que eu coloque o curativo em você agora?
— Cala a boca — ele diz. — Eu já tenho dez anos.

NO DIA SEGUINTE, vou para Cuddledown e olho embaixo da pia da cozinha.

Há esponjas lá e produtos de limpeza com cheiro de limão. Rolos de papel-toalha. Um galão de água sanitária.

Varro os cacos de vidro e as fitas penduradas. Encho sacos com garrafas vazias. Aspiro batatinhas esmagadas. Esfrego o chão grudento da cozinha. Lavo as colchas.

Limpo a sujeira das janelas, guardo os jogos de tabuleiro no armário e limpo o lixo dos quartos.

Deixo os móveis do jeito que Mirren gostava.

Por impulso, pego um bloco de papel quadriculado e uma caneta esferográfica do quarto de Taft e começo a desenhar. Não passam de bonequinhos, mas dá para ver que são meus Mentirosos.

Gat, com seu nariz grande, está sentado de pernas cruzadas, lendo um livro.

Mirren está de biquíni, dançando.

Johnny usa uma máscara de mergulho e segura um caranguejo.

Quando termino, coloco o desenho na geladeira, ao lado dos antigos desenhos de lápis de cor retratando meu pai, minha avó e os cachorros.

87

ERA UMA VEZ um rei que tinha três lindas filhas. Essas filhas cresceram e se tornaram mulheres, e as mulheres tiveram filhos, lindas crianças, muitas, muitas crianças, só que algo ruim aconteceu,
   algo idiota,
   criminoso,
   terrível,
   algo que podia ter sido evitado,
   algo que nunca deveria ter acontecido,
   e ainda assim algo que pôde, com o tempo, ser perdoado.
   As crianças morreram em um incêndio — todas menos uma.
   Só sobrou uma, e ela...
   Não, não está certo.
   As crianças morreram em um incêndio, todas exceto três meninas e dois meninos.
   Restaram três meninas e dois meninos.
   Cadence, Liberty, Bonnie, Taft e Will.
   E as três princesas, as mães, desmoronaram de raiva e desespero. Beberam e fizeram compras, jejuaram, limparam e obcecaram. Uniram-se em luto, perdoaram umas às outras e choraram. Os pais também ficaram irados, embora estivessem bem longe; e o rei, ele sucumbiu a uma frágil loucura da qual sua antiga personalidade emergia só de vez em quando.
   As crianças eram malucas e tristes. Eram assoladas pela culpa de estarem vivas, por dores de cabeça e medo de fantasmas, assoladas por pesadelos e estranhas compulsões, castigo por estarem vivas quando as outras haviam morrido.

*As princesas, os pais, o rei e as crianças esfarelaram-se como casca de ovo, quebradiços e belos, pois sempre foram belos. Era
como se
como se
essa tragédia tivesse marcado o fim da família.
E talvez tenha sido isso.
Mas talvez não.
Eles formavam uma bela família. Ainda.
E sabiam disso. Na verdade, a marca da tragédia tornou-se, com o tempo, uma marca de glamour. Uma marca de mistério e fonte de fascínio para aqueles que viam a família de longe.
"As crianças mais velhas morreram em um incêndio", dizem os moradores de Burlington, os vizinhos de Cambridge, os pais dos alunos de uma escola particular em Manhattan e os velhinhos de Boston. "A ilha pegou fogo", dizem. "Lembram o que aconteceu alguns verões atrás?"
As três lindas filhas ficaram ainda mais lindas aos olhos de seus observadores.
E esse fato nunca foi esquecido por elas. Nem por seu pai, mesmo em seu declínio.
E, ainda assim, as crianças que restaram,
Cadence, Liberty, Bonnie, Taft e Will,
sabem que a tragédia não é algo glamoroso.
Sabem que ela não acontece na vida do mesmo modo como no palco ou nas páginas de um livro. Não é um castigo infligido nem uma lição aprendida. Seus horrores não são atribuíveis a uma única pessoa.
A tragédia é feia e complicada, idiota e confusa.*

É isso que as crianças sabem.
E elas sabem que as histórias
sobre sua família
são ao mesmo tempo verdade e mentira.
Existem infinitas variações.
E as pessoas continuarão a contá-las.

MEU NOME COMPLETO é Cadence Sinclair Eastman.

Moro em Burlington, Vermont, com minha mãe e três cães. Tenho quase dezoito anos.

Tenho um cartão de biblioteca bem gasto, um envelope cheio de rosas desidratadas, um livro de contos de fadas e um punhado de lindas pedras roxas. E pouco mais que isso.

Eu sou
a culpada
de um crime tolo e ilusório
que se transformou
em tragédia.

Sim, é verdade que me apaixonei por alguém e que ele morreu, com as duas outras pessoas que eu mais amava no mundo. É o principal a se saber a meu respeito,

a única coisa a se saber a meu respeito por um bom tempo, embora nem eu soubesse.

Mas deve haver mais.

Haverá mais.

MEU NOME COMPLETO é Cadence Sinclair Eastman.

Aguento enxaquecas. Não aguento idiotas

Gosto de distorcer significados.

Eu suporto.

Ficou com vontade de falar sobre o livro com alguém? Tome cuidado para não estragar a experiência de leitura de quem ainda não conhece *Mentirosos*! Acesse o hotsite <www.seguinte.com.br/mentirosos> e participe do nosso fórum exclusivo, feito especialmente para que você possa discutir a história à vontade com quem também já leu!

AGRADECIMENTOS

Agradeço principalmente a Beverly Horowitz e Elizabeth Kaplan pelo apoio a esse livro de inúmeras formas. A Sarah Mlynowski (duas vezes), Justine Larbalestier, Lauren Myracle, Scott Westerfeld e Robin Wasserman por comentarem os primeiros rascunhos — nunca mostrei um manuscrito a tantas pessoas e precisei tanto da opinião de todas. Obrigada também a Sara Zarr, Ally Carter e Len Jenkin.

Obrigada a Libba Bray, Gayle Forman, Dan Poblacki, Sunita Apte e Ayun Halliday, além de Robin, Sarah e Bob por me fazer companhia e debater livremente enquanto eu escrevia este livro. Sou grata a Donna Bray, Louisa Thompson, Eddie Gamarra, John Green, Melissa Sarver e Arielle Datz. A Angela Carlino, Rebecca Gudelis, Lisa McClatchy, Colleen Fellingham, Alison Kolani, Rachel Feld, Adrienne Weintraub, Lisa Nadel, Judith Haut, Lauren Donovan, Dominique Cimina e todos da Random House que usaram a criatividade para ajudar esse livro a encontrar seu público.

Obrigada especialmente à minha família, que não tem nada a ver com os Sinclair.

1ª EDIÇÃO [2014] 18 reimpressões

ESTA OBRA FOI COMPOSTA PELA VERBA EDITORIAL EM BEMBO
E IMPRESSA PELA LIS GRÁFICA EM OFSETE SOBRE PAPEL PÓLEN SOFT
DA SUZANO S.A. PARA A EDITORA SCHWARCZ EM OUTUBRO DE 2021

A marca FSC® é a garantia de que a madeira utilizada na fabricação do papel deste livro provém de florestas que foram gerenciadas de maneira ambientalmente correta, socialmente justa e economicamente viável, além de outras fontes de origem controlada.